EEN ONGEWOON GESPREK MET SLA

MEMOIRES VAN EEN REIZIGER IN DRUGLAND

Een ongewoon gesprek met sla

MEMOIRES VAN EEN REIZIGER IN DRUGLAND

LUC ROMBAUT

UITGEVERIJ VAN HALEWYCK

Diestsesteenweg 71a - 3010 Leuven
www.vanhalewyck.be

Cover, vormgeving en zetwerk: Griffo, Gent
Druk: Imschoot, Gent

Uitlevering & vertegenwoordiging voor Nederland:
Denis & Libridis, Nederland

NUR 740
ISBN 90 5617 622 6
D/2005/7104/10

Inhoud

Intro

Er zijn al hopen boeken geschreven over drugs. De meeste zijn educatief van aard, bevatten interessante productinformatie en hebben vooral als bedoeling te waarschuwen voor de gevaren van drugs. Jammer genoeg worden deze boeken meestal gelezen door preventiewerkers en zelden door (potentiële) druggebruikers. Andere boeken verheerlijken drugs. Zij brengen enkel de positieve aspecten van druggebruik in beeld. Ook aan ervaringsdeskundigen, meestal ex-verslaafden, geen gebrek. Zij brengen '*the (horror)story of their life*'.

Met dit boek wil ik aan iedereen die geïnteresseerd is in het drugthema, niet alleen (potentiële) gebruikers, maar ook ouders, leerkrachten, opvoeders en hulpverleners, beide kanten van de drugsmedaille laten zien. Het boek bevat een schat aan informatie over de soms aangename effecten en de vaak kwalijke gevolgen van druggebruik. Mijn bedoeling is vooral mensen te informeren en ze te doen nadenken over een verantwoorde omgang met legale en illegale drugs.

Dit boek heeft uiteraard niet de bedoeling mensen aan te zetten tot druggebruik. Net zomin heeft het de bedoeling met het vingertje te staan zwaaien en te zeggen dat drugs per definitie slecht zijn. De drug zelf (het Middel) is immers maar één van de drie factoren die een belangrijke rol spelen. Ook de Mens (wie gebruikt en vooral waarom?) en het Milieu (de omstandigheden waarin gebruikt wordt) bepalen mee of iemand in de problemen komt.

De reeks kortverhalen is gebaseerd op mijn experimenten met drugs. Ze spelen zich grotendeels af tijdens mijn studententijd in Antwerpen (1985-1989) waar ik in contact kwam met alcohol, tabak, cannabis en paddo's. Toen ik voortstudeerde in Gent (1989-1992) experimenteerde ik voor het eerst met de chemische drugs XTC, speed en cocaïne. Ik gebruikte deze slechts een paar keer. Op reis rond de wereld (1998-1999) maakte ik ook kennis met het traditionele gebruik van bewustzijnsveranderende middelen in andere culturen (peyote en ayahuasca). De lezer zal ook een evolutie in mijn houding tegenover drugs vaststellen. Gaande van onschuldig experimenteren over wilde uitspattingen tot een dieper inzicht. Dit boek bevat meer dan mijn persoonlijke ervaringen. Sommige vrienden hebben aan den lijve moeten ondervinden hoe afhankelijkheid van drugs je leven kan verpesten. Anderen hebben problemen gekregen met de politie of zijn in de psychiatrie beland ten gevolge van overmatig druggebruik. Ondertussen zijn de meesten echter, na een relatief korte experimenteerfase, gestopt met illegale drugs. Uit respect voor de privacy werden alle namen veranderd.

Uit verschillende onderzoeken van de Vereniging voor Alcohol- en andere Drugproblemen en studies van de Gentse Universiteit blijkt dat drugs niet meer uit onze maatschappij weg te denken zijn. Aangezien er nu eenmaal drugs bestaan en (bijna) iedereen legale (alcohol, tabak...) of illegale (cannabis...) drugs gebruikt, kan men er maar beter mee leren omgaan in plaats van het taboe in stand te houden. '*Just say no*' en een communicatie die exclusief op angst is gebaseerd, hebben duidelijk geen blijvende invloed. Meer dan één op vier jongeren experimenteert met illegale drugs en bijna allemaal komen ze ermee in contact. Ze hebben dus absoluut eerlijke, accurate en geloofwaardige informatie nodig die niet eenzijdig pro of contra drugs is.

Een mogelijke kritiek op dit boek is eigenlijk een kritiek

op mijn persoon. Aangezien ik ondanks mijn experimenten met verschillende drugs niet als junk in de goot ben beland, zou ik de indruk kunnen wekken dat drugs toch niet zo gevaarlijk zijn. De aandachtige lezer zal echter merken dat dit boek barst van de waarschuwingen en preventieboodschappen. Net als dit boek hebben mijn presentaties over drugpreventie in scholen een dubbele doelstelling. Enerzijds wil ik jongeren die nog nooit drugs gebruikt hebben (en dit ook niet van plan waren), bevestigen in hun mening dat je er beter afblijft. Anderzijds wil ik jongeren die drugs gebruiken (of dit van plan waren), wijzen op gevaren van onverantwoorde omgang met drugs. Uit de anonieme enquêtes na elke presentatie blijkt dat dit doel ook effectief wordt bereikt. Juist omdat ik een ervaringsdeskundige ben, zijn jongeren bereid naar mijn verhalen en adviezen te luisteren.

Uiteraard wil drugpreventie eerst en vooral voorkomen dat mensen experimenteren met drugs (bijvoorbeeld 'Tabak doodt' op de sigarettenverpakking). Niet gebruiken is immers de enige volledig veilige manier om met drugs om te gaan. Omdat veel mensen het vroeg of laat toch proberen, stelt drugpreventie zich ook tot doel te voorkomen dat mensen in de problemen komen door op een verkeerde manier met drugs om te gaan (bijvoorbeeld de Bobcampagne over alcohol in het verkeer). Dit kan gaan van het uitstellen van de beginleeftijd waarop men experimenteert (bijvoorbeeld geen cannabis onder de achttien jaar) tot het stimuleren van sociaal gebruik (bijvoorbeeld de tips in dit boek). Indien er sprake is van echt probleemgebruik, dan kan vroege interventie (bijvoorbeeld door familieleden, collega's, vrienden, huisarts) erger voorkomen. Hier zitten we op de grens tussen preventie en professionele hulpverlening. Drugpreventie kan pas goed werken indien er op elk van deze niveaus zinvolle initiatieven genomen worden. Tot slot wil ik hierbij een oproep doen aan de overheid om meer te investeren in zinvolle drugpreventieprojecten. Van het budget voor de aanpak van illegale drugs wordt zowat de helft besteed aan repressie. Hulpverlening komt op de tweede plaats. Slechts vier procent wordt uitgetrokken voor preventie. Het principe: 'Beter voorkomen dan genezen' is hier dringend aangewezen.

DE ENIGE 100% VEILIGE MANIER
OM MET DRUGS OM TE GAAN
IS ER AFBLIJVEN!

De duistere bossen (1)

Er was eens een mysterieus en donker bos. Eigenlijk was het taboe om erover te praten. Bijgevolg vertelden de mensen er de meest uiteenlopende verhalen en legendes over. Volgens sommigen was er diep in dat bos een open plek waar je de hemel kon vinden. Anderen beweerden steevast dat wie één keer een voet zette in dat bos gek werd of op termijn zijn eigen doodvonnis tekende.

Voor alle zekerheid liep er prikkeldraad om het hele bos heen en stonden er bewakers opgesteld om ervoor te zorgen dat niemand ongestraft in of uit het bos kon komen. Overal aan de bosrand stonden duidelijke verbodstekens en hingen affiches die waarschuwden voor de grote gevaren die zich in dat donkere bos schuilhielden. De enige uitzondering waren twee tolwegen: eentje naar het Alco-hol en een andere naar Ta Bak. Langsheen deze wegen stonden sinds een paar jaar ook wel waarschuwingsborden opgesteld, maar wie oud genoeg was en zich een beetje aan de regels hield, mocht wel ongestoord doorwandelen.

Ondanks alle verbodstekens en gevaren – of misschien net daarom – kropen nieuwsgierige jongeren 's nachts over de prikkeldraad op zoek naar een kick. Een beetje tot hun verbazing ontdekten ze dat een spannend bezoekje aan dat bos wél plezierig, ontspannend, opwekkend en zelfs leerrijk kon zijn. Ze voelden zich een beetje bedrogen en vertelden aan hun vrienden dat een wandeling door dat geheimzinnige bos helemaal niet gevaarlijk was en eigenlijk wel leuk. De jongeren die nog nooit een voet in het bos gezet hadden, wisten niet meer wie ze nu moesten geloven: de bewakers die hen waarschuwden of die andere jonge gasten.

Wie niet waagt, niet wint, dachten velen en ze klommen ook over de prikkeldraad op zoek naar die onschuldige kick. Som-

migen hadden geluk en beleefden een heerlijke nacht. Maar anderen liepen verloren in het bos, kwamen in drijfzand terecht, vonden de uitgang niet meer of vielen in een afgrond. Af en toe gebeurde het ook dat jongeren het bos zo fantastisch vonden dat de drang om steeds terug te keren uiteindelijk sterker werd dan zijzelf. Het magische bos had hen in zijn macht.

Ondanks al die gevaren waagden steeds meer mensen zich in het bos. Misschien wel omdat het leven buiten het bos steeds veeleisender, uitputtender of eenzamer werd. De bewakers zaten met de handen in het haar. Wat moesten ze nu doen? Nog hogere prikkeldraad? Nog meer controleposten? Nog zwaardere boetes? Uiteindelijk beslisten ze om de volwassen bezoekers die op zoek waren naar 'grass' *in het bos, niet langer te vervolgen. De kosten wogen immers niet meer op tegen de baten.*

Er werd een officieel onderzoeksteam aangesteld om te weten te komen hoeveel jongeren er eigenlijk al in het bos geweest waren. De resultaten waren schrikwekkend: één op drie was ooit al over de prikkeldraad gekropen en één op twee kende wel iemand die al eens in het bos geweest was. De conclusie was duidelijk: het taboe moest doorbroken worden. Iedereen had recht op correcte en volledige informatie.

Er moesten niet alleen verbodstekens en affiches rondom het bos hangen, maar er moesten ook gevarendriehoeken en wegwijzers in het bos komen. Alleen op die manier kon worden vermeden dat de wandelaars in een afgrond zouden vallen of de weg kwijt zouden raken. Maar waar moesten die wegwijzers dan wel komen en – vooral – wie zou ze daar gaan hangen?

(wordt vervolgd)

Soorten drugs

Er bestaan verschillende manieren om drugs in te delen. De (onvolledige) indeling hieronder gaat uit van de invloed die ze op ons lichaam, gedachten en gevoelens kunnen hebben.

Opwekkende drugs (stimulerend, méér energie)
koffie, tabak, antidepressiva, ecstasy (XTC), amfetamines (onder andere speed), efedrine, cocaïne, crack...

Verdovende drugs (kalmerend, minder energie)
alcohol, slaap- en kalmeringspillen, lijm, opium, codeïne, morfine, methadon, heroïne...

Bewustzijnsveranderende drugs (andere energie, veranderde kijk op realiteit)
cannabis, paddo's, peyotecactus, ayahuasca, ibogaïne, XTC (MDMA*), MDA, MDEA, GHB*, PCP*, LSD*...

* Waar deze afkortingen voor staan, vind je achteraan in dit boek terug.

Alcohol

- alcohol: verdovende drug
- vorm: we onderscheiden drie soorten alcoholhoudende dranken
  - o bier (vol 5%) en streekbier (tot vol 12%)
  - o wijn (vol 10%) en aperitieven (vol 20%)
  - o sterkedrank (vol 22% tot 45%); het alcoholgehalte van alcoholpops (breezers) gaat van vol 4% tot vol 20%
- juridisch
  - o na cafeïne is het wellicht een van de meest sociaal aanvaarde drugs in de westerse cultuur; de islamitische cultuur echter verbiedt alcohol
  - o aangezien alcohol een betaalbare, legale drug is, wordt de kwaliteit gegarandeerd
  - o sterkedrank mag niet aan mensen onder achttien jaar geschonken worden
  - o openbare dronkenschap, alcohol schenken aan dronken mensen en jongeren beneden de zestien door caféhouders en een voertuig besturen met meer dan 0,5 promille alcohol in het bloed zijn strafbaar
- effecten
  - o de effecten verschillen naar gelang van het individu, de hoeveelheid en de frequentie, de plaats en het moment van gebruik
  - o alcohol heeft verdovende effecten die vooral de gedragingen en de emoties beïnvloeden; een matig gebruik (tot drie glazen) ontspant en geeft meer zelfvertrouwen; meer alcohol kan leiden tot trage reacties, coördinatie-

stoornissen, emotionele uitbarstingen, geheugenverlies; in extreme gevallen kun je in coma gaan
    - aan een nachtje stevig drinken kun je een kater overhouden; veel water drinken tijdens en na het gebruik helpt
- risico's
    - matig gebruik kan positieve effecten hebben, overmatig gebruik heeft vooral negatieve gevolgen:
        - slechte inschatting van risico's (bijvoorbeeld in het verkeer), roekeloosheid, agressie, geen vermoeidheid voelen, gevaar voor onderkoeling, black-out
    - bij zwangerschap en borstvoeding: absoluut af te raden voor het welzijn van het kind; overmatig gebruik tijdens de zwangerschap houdt ernstige risico's in voor het kind
    - in het verkeer zijn gebruikers een risico voor zichzelf en de omgeving
    - combineren met medicijnen en andere drugs is sterk af te raden
- langetermijneffecten
    - De regel van drie (enkel geldig voor volwassenen, niet geldig bij zwangerschap, tijdens het werk, in het verkeer...)
        1. drink niet meer dan twee (v)/ drie (m) glazen alcohol per dag
        2. drink maximaal drie (v)/ vijf (m) glazen per keer
        3. drink ten minste twee dagen per week geen alcohol
    - regelmatig drankmisbruik leidt tot leverproblemen, ontstekingen van ingewanden, hart- en vaatziekten, hersenbeschadiging, aantasting van het zenuwstelsel, kanker, hoge cholesterol, slaapproblemen, geheugenstoornissen, agressie, angst, depressie...
    - zelfoverschatting heeft negatieve invloed op prestaties (sport, verkeer, werk, studeren...)

- langdurig en overmatig alcoholgebruik veroorzaakt talrijke problemen: gezinsdrama's, geweld in relaties, financiële, juridische, sociale problemen...
- afhankelijkheid
  - langdurig alcoholgebruik kan leiden tot fysieke en psychische afhankelijkheid
  - het aantal probleemdrinkers in België wordt door professor Pacolet (K.U.Leuven, 2003) geschat op een half miljoen of meer
- nog vragen?
  - www.druglijn.be of 078/15.10.20. Je kunt hier anoniem naar bellen.

Bron: *Drugs etc.* (VAD)

Gevaar! Nieuwe designerdrug

Designerdrug veroorzaakt ongelukken en geweld
Gezondheidsdeskundigen hebben hun bezorgdheid geuit over de drug *Euphoria* (ook wel *UFO* genoemd), een middel dat wordt gebruikt op danceparty's en dat volgens recent onderzoek verantwoordelijk is voor 60% van alle sterfgevallen van jonge mensen die met drugsgebruik samenhangen. Kleine doses geven snel een gevoel van ontspanning en maken praatziek. In hoge doses kan de gebruiker er agressief en gewelddadig van worden.
Euphoria verminkt het oordeelsvermogen en vergroot het risico op verkeersongelukken, onveilig vrijen en nog meer druggebruik. Intens gebruik is in verband gebracht met lever- en hersenbeschadiging, hoge bloeddruk en een toegenomen kans op borst- en darmkanker. Verontrustend is dat deze potentieel gevaarlijke drug zeer gemakkelijk verkrijgbaar is.

Dit krantenartikel is vrij vertaald naar Paula Goodyer in *Jongeren & Drugs*. Alles wat in dit artikel geschreven staat klopt, behalve de naam van de drug. In werkelijkheid gaat het hier niet over het onbestaande *Euphoria*, maar over alcohol.

De waarschuwing van de uil

Samen met Max en Timon geniet ik van twee weken vakantie op Samos, een Grieks eiland voor de Turkse kust. Onze missie: zoveel mogelijk uitgaan, roken, drinken, feesten en vrouwen versieren. De hitte doet onze hormonen op hol slaan en we blinken uit in onvervalst machogedrag. We logeren in een appartementje van een zeer sympathieke Griekse familie die ook het restaurant uitbaat. We raken bevriend met Mikis en Alexis, de twee broers die de zaak openhouden.

Mikis is ongeveer even oud als wij en iedere nacht kruipen we zodra het restaurant gesloten is, met z'n vieren in een piepklein, verroest en naar olie stinkend Fiatje. Daarmee rijden we van de ene dancing naar de andere. Discotheken kun je sommige van deze aftandse fuifzaaltjes niet echt noemen, maar ze hebben wel hun charmes. En hier en daar zijn die Grieken echt wel mee met hun tijd! In de hoofdstad van het eiland belanden we op een avond zelfs in een hypermoderne openluchtdiscotheek met veel hip volk. In andere dancings blazen enorme airco's koele lucht over de dansende menigte.

Op een nacht rijden we over de smalle kronkelwegen van dit bergachtige eiland naar een dancing een paar dorpen verder. Plots gaat Mikis op de rem staan. Verbaasd kijken we alle vier naar het vreemde wezen dat onbeweeglijk in het schijnsel van onze koplampen gevangen zit. We stappen uit en we kunnen onze ogen niet geloven. Voor ons, op een paar meter afstand, zit een verschrikkelijk grote uil. Het beest is bijna een meter hoog en staart ons met feloranje ogen aan. Het kost ons veel moeite om hem te overtuigen om weg te vliegen. Ik herinner me van op school dat de uil symbool staat voor wijsheid. Maar is dat dan een goed of een slecht voorteken, vraagt Mikis zich af. Dat zal later die avond pijnlijk duidelijk blijken.

Later die nacht proeven we van de plaatselijke cultuur: '*the dance of the drunk Greek dancer*'. Aangezien die manier van dansen erop neerkomt dat je gewoon letterlijk over de dansvloer moet zwalpen, lukt ons dit aardig. Om ons extra goed te kunnen inleven zuipen we die nacht nogal wat af. Het is al heel laat wanneer we uiteindelijk besluiten om naar huis terug te keren. Onze Griekse chauffeur is op het geniale idee gekomen eens een andere auto te testen. Terwijl hij aan het portier van een chique BMW staat te morrelen, duikt plots de eigenaar op. Ik kan nog net vermijden dat ze op de vuist gaan. Omdat Max en Timon ook behoorlijk boven hun theewater zijn, stel ik voor om zelf chauffeur te spelen. Nu heb ik die avond ook wel stevig gedronken, maar ik ben wel nog in staat om te rijden. Denk ik.

In het begin van de rit gaat alles perfect. Alles gaat zo vanzelf dat ik het gevoel heb dat de auto met mij rijdt, in plaats van omgekeerd. Dan komt er een haarspeldbocht. Het is pikdonker en we rijden in de bergen. Ik draai negentig graden aan het stuur om een gewone bocht te nemen. Op de achterbank weerklinkt een luide schreeuw. Ik ga op de rem staan en de auto schuift over kiezels. Mikis, die naast mij lag te slapen, schiet wakker en geeft een stevige draai aan het stuur. En... We rijden gewoon door alsof er niets aan de hand is. Als we bij het restaurant aankomen, beginnen mijn vrienden tegen mij te schreeuwen. Ik begrijp absoluut niet waarom ze zo kwaad zijn.

Omdat ik maar niet kan geloven dat ik bijna een bocht gemist heb, stellen Max en Timon voor om eens een kijkje ter plaatse te gaan nemen. Na wat zoeken vinden we de bewuste haarspeldbocht terug. We stappen uit en wandelen naar de plaats des (bijna) onheils. Je ziet nog duidelijk de remsporen waar we van de weg op het grind geschoven zijn. Een goede meter verder gaapt een afgrond van ongeveer vijftig meter. Slik! Het heeft dus geen haar gescheeld of hier stond nu een Grieks kruis met vier namen erop. Ik heb enorm veel geluk gehad dat ik dit nog kan navertellen. Dit was de eerste en meteen ook de laatste keer dat ik met een stuk in mijn kraag achter het stuur gekropen ben. En ik bedank ook mijn engelbewaarder voor alle overuren die hij al gepresteerd heeft voor mij. Misschien zat die uil er toch wel voor iets tussen.

Tabak

- tabak: opwekkende drug; nicotine is het actieve bestanddeel
- vorm: sigaretten (al dan niet zelf gerold), sigaren of pijp
- juridisch: legaal; verkoop aan jongeren beneden zestien jaar en reclame zijn verboden; verplichte waarschuwing op de verpakking; gebruik verboden in openbare gebouwen
- gebruik: roken, sigaren worden normaal gezien niet geïnhaleerd; onmiddellijk effect
- effecten
  - o de effecten verschillen naar gelang van het individu, de hoeveelheid en de frequentie, de plaats en het moment van gebruik
  - o stimulerend, ontspannend, bevordert spijsvertering
- risico's
  - o misselijkheid, braken
  - o ook passief roken is schadelijk voor de gezondheid
  - o bij zwangerschap en borstvoeding: af te raden voor het welzijn van het kind
- langetermijneffecten
  - o roken veroorzaakt ernstige long- en hartziekten en verschillende kankers en leidt tot een verminderde vruchtbaarheid
  - o elk jaar sterven 20.000 (bron: *Drugs etc.*) mensen aan de gevolgen van hun nicotineverslaving; het aantal doden ten gevolge van tabak ligt veel hoger dan bij alle andere drugs samen

- afhankelijkheid
  - o fysieke en sterke psychische afhankelijkheid (90% van de gebruikers rookt dagelijks)
  - o er bestaan verschillende methodes (bijvoorbeeld nicotinepleisters, kauwgum, pillen) om af te kicken; meer informatie bij je huisarts
- nog vragen?
  - o www.druglijn.be of 078/15.10.20 (anoniem)
  - o www.vig.be
    (Vlaams Instituut voor Gezondheidspreventie)

In de fik

Mijn allereerste sigaret rook ik tijdens een tweedaagse retraite op school. Tijdens de pauze van een avondsessie muizen we er met een paar vrienden onderuit. We verschuilen ons onder het gebladerte van een enorme treurwilg. Het is nogal donker en van pure zenuwachtigheid steekt de stoerste van de bende, die de sigaretten gekocht heeft, de filter aan in plaats van de sigaret. Hilariteit alom! We vinden het fantastisch om samen iets te doen wat absoluut niet mag. Pas twee jaar later leer ik echt roken. Gemakkelijk is het niet en het vraagt wel wat doorzettingsvermogen om je longen zo te trainen dat ze hun natuurlijke hoestreflex onderdrukken. We zijn met een paar vrienden op surfvakantie in Nederland en ik heb een pakje sigaretten zonder filter gekocht. Dat staat wel stoer bij mijn stoppelbaard, vind ik. Mijn vrienden roken niet, dus dat maakt mij een beetje uniek. Dat geloof ik tenminste.

Wanneer ik regelmatig begin uit te gaan, rook ik af en toe een sigaret. Niettemin blijf ik het vervelend vinden als mijn vader of mijn oom thuis roken, terwijl ik aan het eten ben. Roken is iets voor in cafés en op fuiven, vind ik. Pint in de ene hand, sigaret in de andere. Zo voel ik me wel een echte man. In die tijd bevestigen jeeps en cowboys in reclamefilmpjes mijn stoere imago. Aangezien ik nog jong ben, denk ik er geen seconde aan dat ik van roken long- of keelkanker kan krijgen. Laat staan dat ik nadenk over mijn vruchtbaarheid. Daar heb ik momenteel absoluut geen last van. Hoe meer ik uitga, hoe meer ik rook. Als student ga ik op een bepaald ogenblik bijna elke avond uit. Zo word ik een gewoonteroker. In het begin rook ik alleen 's avonds. Om mijn gebruik een beetje in de hand te houden en geen echte kettingroker te worden, koop ik zelf bijna nooit sigaretten. Zo wordt H.P. mijn vaste dealer van wie ik regelmatig sigaretten afluis. Af en toe koop ik dan eens een pakje voor haar. En zo staan we weer quitte. Op vakantie begin ik ook overdag te roken. Een lekker sigaretje 's middags na het eten kan echt deugd doen. Daarna nog eentje bij de frisse pint op het terrasje. En 's avonds staat er geen maat op. Na de vakantie krijg ik natuurlijk ook overdag zin in een sigaret. Dat vind ik niet oké. Maar aangezien ik toch niet verslaafd ben, kan het geen probleem zijn om een paar maanden te stoppen met roken. Denk ik.

Zolang ik geen alcohol drink, denk ik weinig of niet aan sigaretten. Na een paar pintjes kan ik het wel knap lastig krijgen. Een voorbeeldje. Ik zit mij op een familiefeest te vervelen. Na een paar glazen wijn en bier geeft mijn brein het signaal dat er nu wel wat nicotine mag komen. Ik bijt op mijn tanden en neem een tandenstokertje. Verslaafd, ik? Laat me niet lachen. Ik ben gewoon een sociale roker. Op de lange tafels liggen papieren tafelkleden. Ongemerkt scheur ik er een stuk uit. Ik rol er een papieren sigaretje van en stop het in mijn mond. Uit pure gewoonte grijp ik naar mijn aansteker. Net op tijd realiseer ik mij dat ik bijna een stuk tafelkleed in de fik gestoken heb. Verslaafd, ik? Misschien toch wel een klein beetje... Om zeker te zijn dat ik het drie maanden zal volhouden, ga ik een weddenschap aan. Dat werkt stimulerend. Ik wil mijn vrienden immers bewijzen dat ik geen nicotinejunk ben. Het kost me aardig wat moeite, maar het lukt!

Na drie maanden begin ik echter gewoon opnieuw. Ik heb nu immers voldoende voor mezelf en voor mijn vrienden bewezen dat ik kan stoppen wanneer ik wil. Pas wanneer ik intensief aan karate en squash begin te doen, begin ik het na een nachtje uitgaan serieus te voelen. Mijn conditie gaat er zienderogen op achteruit. Daarom schakel ik over op light sigaretten en probeer iets minder te roken. Dat helpt een beetje. Ik zie er nog steeds de zin niet van in om volledig te stoppen met roken. Tot ik smoorverliefd werd op een vriendin. Zelf rookt ze niet en ze houdt ook niet van een rokerige omgeving omdat ze dan last krijgt van astma. Bovendien geeft ze me duidelijk te verstaan dat ze het heerlijk vindt om te tongzoenen, maar niet om een asbak uit te likken. Omdat ik toch nog altijd liever kus dan rook en mijn conditie nog altijd lijdt onder mijn nicotineverslaving, besluit ik definitief te stoppen met roken. Dat lukt redelijk goed. Alleen gebeurt het wel af en toe dat ik, wanneer ik te veel gezopen heb, wanhopig op zoek ga naar een sigaret en die met veel smaak oprook. Ik ga zelfs zover dat ik wildvreemde mensen aanspreek in een restaurant om een sigaret te bedelen.

Het heeft een paar jaar geduurd voor ik volledig van mijn verlangen verlost was. Ondertussen zijn we tien jaar later en hebben mijn longen zich volledig hersteld. Het duidelijkste bewijs is, dat ik wanneer ik nu van een sigaret trek, me opnieuw te pletter hoest. Dat weerhoudt me ervan ooit opnieuw te beginnen. Leve de natuurlijke reflex!

Cannabis

- marihuana (weed, wiet, grass) of hasjiesj (shit, stuff): zeer populair bewustzijnsveranderend middel; van de cannabis- of hennepplant wordt ook kleding, touw, papier, veevoeder, olie enzovoort gemaakt
- vorm
  - o marihuana: verkruimelde bloemtoppen, lijkt op grove thee en is grijsgroen tot groenbruin
  - o hasjiesj: lichtbruin tot zwart harsextract, lijkt op bouillonblokje
- juridisch
  - o illegaal; zie ook: 'Is cannabis gelegaliseerd?'
- gebruik
  - o puur of vermengd met tabak (= gecombineerd druggebruik!) roken als joint (sigaret) of met een (water)pijp; effect na een paar minuten
  - o eten (bijvoorbeeld spacecake) of drinken (thee); moeilijk voorspelbare effecten na een uur
- effecten
  - o de effecten verschillen naar gelang van het individu, de hoeveelheid en de frequentie, de plaats en het moment van gebruik
  - o verandert het bewustzijn, positieve en negatieve gevoelens worden versterkt
  - o rustig, ontspannen, slaperig, verandering ruimte/tijd, intense beleving van kleuren en muziek, lachbuien, vreetbuien

- risico's
  - o vermindering concentratie en kortetermijngeheugen, coördinatiestoornissen, snellere hartslag
  - o flippen (hoge of sterke dosis): angst, paniek, neerslachtigheid, rusteloosheid, verwarring, hallucinaties, duizeligheid, flauwvallen
  - o bij zwangerschap en borstvoeding: ernstige risico's voor moeder en kind
  - o in het verkeer zijn gebruikers een risico voor zichzelf en de omgeving
  - o combineren met medicijnen, alcohol en andere drugs is sterk af te raden
- langetermijneffecten
  - o roken is ongezond en leidt tot een hoger risico op long- en hartziekten
  - o demotivatie en verminderde vitaliteit, concentratie en geheugen
  - o kan de persoonlijke ontwikkeling remmen (hoe jonger, hoe gevaarlijker) en de kans op sociaal isolement verhogen
  - o problemen met omgeving (thuis, school, werk) en justitie
- afhankelijkheid
  - o geen lichamelijke afhankelijkheid, maar kan bij veelvuldig gebruik met de foute motivatie (bijvoorbeeld problemen en onvrede 'wegsmoren') wel tot psychische afhankelijkheid leiden
- nog vragen?
  - o www.druglijn.be of 078/15.10.20 (anoniem)

Bron: *Drugs etc.* (VAD)

De eerste keer

Dertien ben ik, wanneer ik mijn allereerste pintje drink. Het smaakt afschuwelijk bitter, maar het geeft me wel een stoer gevoel. Mijn eerste sigaret rook ik op vijftienjarige leeftijd. Ik ben al zestien wanneer ik voor de eerste keer een echt liefje heb en joints smoor ik pas na mijn achttiende verjaardag. Ik ben dus altijd al een beetje een laatbloeier geweest, maar wanneer ik dan uiteindelijk in gang schiet, is er geen houden meer aan.

Het is 1989 en ik ben eerstejaarsstudent in Antwerpen. Studeren, ja, maar ook feesten! Wanneer ik op een studentenfuif eventjes naar buiten ga om een luchtje te scheppen, zie ik een groepje van mijn jaar staan. Dina, een vriendin van mij, heeft net een joint gerold en ze vraagt of ik eens wil trekken. Nieuwsgierig als ik ben, neem ik een voorzichtig trekje. De rook voelt zwaar aan, maar ik kan gelukkig een hoestbui onderdrukken. Kwestie van niet af te gaan als een gieter. Ik voel eigenlijk weinig of niets. Maken ze daar nu zoveel heisa over? Zijn dat nu drugs? Pffff! Ik ga voort fuiven en pinten pakken. Nooit bij stilgestaan dat alcohol ook een drug is, natuurlijk. Om over die superverslavende sigaretten nog te zwijgen. Wist je trouwens dat nicotine bijna even verslavend is als heroïne?

Op het einde van het academiejaar nodigt Dina me uit bij haar thuis. De examens zijn voorbij en met een klein beetje geluk ben ik geslaagd in de eerste zittijd. De vakantie staat voor de deur en nu is het tijd om te genieten en alle remmen los te gooien. Haar ouders zijn er niet en haar broer heeft een paar vrienden uitgenodigd. Ze woont nogal afgelegen en dus vraag ik aan mijn ouders of ik de auto kan lenen. Daarover hebben we duidelijke afspraken. Ik mag zonder problemen uitgaan met de auto wanneer ik wil, maar dan mag ik geen alcohol drinken. Dat wederzijdse vertrouwen is er altijd aan beide kanten geweest. Die avond hou ik het dus sober. Twee pintjes en dan gedaan!

Eigenlijk had ik wel kunnen weten dat er vroeg of laat wiet zou opduiken. En inderdaad! Haar broer rolt een frietzak om u tegen te zeggen. De joint begint aan zijn rondje en ik neem opnieuw een voorzichtig trekje. Vorige keer heb ik niets gevoeld, dus waarom zou ik deze keer wel iets voelen? Zoals verwacht voel ik weer niks. Na een tijdje rolt Mr. Frietzak een nieuw 'toetje' en weer gaat de joint van hand tot hand. Het is hier echt gezellig en samen smoren schept een band. De andere blowers zijn ondertussen in opperbeste stemming. Er worden sterke verhalen verteld, er wordt gelachen en zelfs – zij het niet bepaald gecoördineerd – gedanst. Het valt me op dat mijn geheugen me regelmatig in de steek laat. Halfweg een zin val ik soms gewoon stil en weet ik totaal niet meer wat ik wou vertellen. Wel grappig eigenlijk! Gelukkig hoef ik me vanavond niet meer te concentreren.

Ondertussen zitten die gasten duidelijk al een verdieping hoger. De 'lift' stopt bij mij. Omdat ook ik de benedenverdieping wil verlaten, neem ik een diepe haal. Deze keer mist de wiet zijn effect niet. Ik voel me licht in mijn hoofd, een beetje draaierig en lacherig. Wat een plezier! Wat een leuke mensen! En wat een leuk feestje! Iedereen babbelt met iedereen en mijn vriendin is blij dat ik me ook eens high voel. Wat later voel ik me echt stoned. Ik hang lui in een stoel en bekijk alles met andere ogen. Alles is in orde, *peace*, zen... Niets kan mij nog schelen. Ik heb er geen flauw benul van hoe lang het effect van een paar trekjes eigenlijk kan duren. Na een tijdje begint het besef aan mij te knagen dat ik straks nog een uur snelweg voor de boeg heb. Volgens mijn vriendin zal het effect niet lang meer aanhouden. Maar het wordt later en later... Om een uur of drie 's nachts ben ik nog altijd *high in the sky*. Rijden zit er niet meer in. En omdat het al zo laat is, durf ik ook niet meer naar huis te bellen. Mijn ouders zullen ongerust zijn! Ik zie het niet meer zitten om nog met de auto te rijden en neem gelukkig het besluit om bij Dina thuis te blijven maffen. Ik installeer me in een makkelijke stoel en val in een diepe, droomloze slaap.

De volgende morgen – een paar uur later dus – bel ik met een klein hartje naar huis. Mijn moeder neemt op en slaakt een zucht van verlichting wanneer ze mijn stem hoort. Sorry, ik had gisteren te veel gedronken, lieg ik. Mijn moeder, gelukkig altijd positief ingesteld, zegt dat ze wel gedacht had dat ik bij Dina was blijven slapen. Ze had wel mijn vader moeten tegenhouden om niet naar de politie te bellen. Zo ongerust was hij. Tot op vandaag voel ik mij hier nog altijd wat schuldig over. Ik heb mijn lesje nu wel geleerd.

Al bij al viel het uiteindelijk nog best mee. Maar het kan ook anders. Bert, een vriend van mij, smoort ook af en toe een jointje voor de gezelligheid. Op een goeie dag gebeurt er iets verschrikkelijks. Zijn lief sterft in een auto-ongeval. Zijn wereld stort in elkaar en hij is ontroostbaar. Hij ontdekt snel dat hij zich een beetje beter voelt wanneer hij een joint rookt. Omdat hij niet kan omgaan met zijn verdriet, begint hij steeds meer te smoren. Zo raakt hij helemaal verslingerd aan wiet, een 'soft' drug, die ook op een harde manier gebruikt kan worden. Mensen die zich wat onzeker voelen, weinig vrienden hebben, gepest worden, verlegen zijn of die geconfronteerd worden met serieuze problemen (bijvoorbeeld scheiding, relaties, overlijden, schulden), zijn vogels voor de kat als ze proberen die problemen aan te pakken met een drug. Je zou het een beetje kunnen vergelijken met hoofdpijn. Als je hoofdpijn hebt, kun je een aspirientje nemen en meestal gaat de pijn dan snel over. Tussen haakjes: in het Engels is een medicijn een 'drug' Als je de volgende dag en de dag daarop weer hoofdpijn hebt, kun je natuurlijk blijven slikken. Beter is het om je af te vragen waar die hoofdpijn eigenlijk vandaan komt en wat je aan de oorzaak kunt doen. Op die manier kun je de kern van het probleem aanpakken. Blijf dus niet met je probleem zitten en praat erover. Niet gemakkelijk natuurlijk! Meestal wil je er gewoon helemaal niet aan denken en er zo ver mogelijk van wegvluchten. De ideale basis voor een stevige verslaving...

M³

Het effect en het risico van een bepaalde drug hangt steeds af van drie factoren: Middel, Mens en Milieu.

1. Middel: de drug

De soort drug. Er is een groot verschil tussen bijvoorbeeld marihuana en cocaïne. Met chemische drugs kun je ook nooit zeker zijn van de kwaliteit. 'Natuurlijke' drugs zijn evenmin zonder gevaar. Het THC-gehalte (Tetra Hydro Cannabinol), het actieve bestanddeel van wiet, is erg verschillend van soort tot soort. Terwijl een wietplant die buiten groeit met een THC-gehalte van enkele procenten een lichte 'high' veroorzaakt, kan een met pesticiden opgefokte plant die binnen onder kunstlicht groeit en die tot twintig procent THC bevat, je stevige hallucinaties bezorgen. Niet zo leuk als je er niet op voorbereid bent! Chemische drugs zijn pas écht gevaarlijk. Je weet immers nooit wat je slikt, snuift of spuit. Eigenlijk is het altijd een beetje Russische roulette.

Hoe de drug gebruikt wordt. In de meeste gevallen is inspuiten intenser en gevaarlijker dan bijvoorbeeld roken. Er is kans op hepatitis of aids. Wiet eten kan ook een onverwacht sterkere werking hebben dan roken en je psychisch in de war brengen.

Uiteraard speelt ook *de dosis* een belangrijke rol. Hoe méér, hoe gevaarlijker! Eén fout pilletje (of een 'foute' reactie van jouw lichaam) kan echter ook al serieuze gevolgen hebben.

Ook *de regelmaat* van gebruik bepaalt mee het risico. Gewoonte is immers de basis van elke verslaving. Elke avond een slaapmutsje of een jointje voor het slapen gaan is ook een gewoonte.

2. Mens: de gebruiker

Wie gebruikt. Eerst en vooral is er de leeftijd waarop je begint met (il)legale drugs. Onderzoek heeft uitgewezen dat hoe vroeger je eraan begint, hoe groter de kans op problemen is. Het verband tussen gebruik en genot wordt immers diep in je hersens geprent. Niet voor niets legt zelfs de Nederlandse drugwet, de meest vooruitstrevende ter wereld, de minimumleeftijd voor cannabis op achttien jaar. Aangezien dit een bewustzijnsveranderende drug is en je brein voor je achttiende nog in volle ontwikkeling is, kun je je experimenten beter nog even uitstellen.

Ook *het geslacht en de lichaamsbouw* kunnen een belangrijke rol spelen. Een mannenlichaam breekt bijvoorbeeld sneller alcohol af dan een vrouwenlichaam. Dit wordt meestal gecompenseerd door het feit dat mannen gewoon meer alcohol drinken. Je weet echter nooit op voorhand hoe je lichaam zal reageren op een bepaalde drug. Het effect kan erg verschillen van persoon tot persoon.

Daarnaast spelen ook *de persoonlijkheid* en de psychische draagkracht, in combinatie met de actuele gemoedsgesteldheid en verwachtingen, een rol. Mensen die vanuit onzekerheid, rebellie, verveling of angst drugs gebruiken, riskeren sneller in de problemen te geraken. Ook de kennis van de eigenschappen van een drug, normen en waarden en de sociale vaardigheden hebben een invloed.

De motivatie waarom gebruikt wordt, bijvoorbeeld om te ontspannen of om te vluchten voor problemen, is veruit de belangrijkste factor die de risico's op lange termijn bepaalt.

3. Milieu: de sociale omgeving

De context: *waar* (bijvoorbeeld op een fuif of op school/op het werk) en *wanneer* (bijvoorbeeld maandagochtend of vrijdagavond) iemand drugs gebruikt. Vreemd genoeg vinden sommige gebruikers het in orde om 's morgens een joint te roken, maar beschouwen ze iemand die 's morgens een glas bier drinkt als een alcoholverslaafde.

De omgeving van de gebruiker (ouders, partner, gezin, vriendenkring, school...) en de manier waarop die reageert, kan bepalend zijn voor mogelijk probleemgebruik. Wie in zijn jeugd liefde en een veilig nest heeft moeten missen, loopt later meer kans om met drugs in de problemen te komen.

Het is ook een heel verschil of iemand alleen, in gezelschap van leeftijdsgenoten en vrienden, dan wel bij onbekenden met drugs experimenteert. Verder zullen ook de (sub)cultuur (bijvoorbeeld het vriendenclubje waarin je zit), de wetgeving en socio-economische factoren (bijvoorbeeld geld) een belangrijke invloed hebben.

Een nachtje bij de Marokkaanse politie

Het is mij weer eens gelukt. Ik ben geslaagd in de eerste zittijd! Wel maar met voldoening, maar dat voldoet voor mij ruimschoots. Drie maanden vakantie... Wat kan een student nog meer wensen? Samen met Leen, een goede vriendin, trek ik naar het hete Granada in Zuid-Spanje om onze talenkennis wat bij te spijkeren. Na twee intense weken studeren, fuiven en rollebollen (die Hollandse!), is de cursus afgelopen. Ons internationale treinticket is echter een volledige maand geldig. Daarom beslissen we een paar dagen later om de Straat van Gibraltar over te steken. Leen vindt de klassieke oversteek naar Tanger maar gewoontjes. Waarom zouden we niet van Málaga naar Melilla varen? Da's toch veel origineler en spannender (o ja!). Eigenlijk zie ik dat echt niet zitten, maar om van haar gezeur af te zijn kopen we de tickets en beginnen we aan onze avontuurlijke reis.

Als we na een paar uur varen nog altijd geen land in zicht krijgen, beginnen we ons wat ongerust te maken. Er zit niets anders op dan verder te bakken op het dek naast een leeg (!) zwembad. We zijn nog niet eens gearriveerd in Marokko en ik heb er al behoorlijk de pest in. Tot onze grote verbazing begint het zwembad zich na een paar uur vanzelf te vullen... met zeewater! Het is een vreemde ervaring om midden op zee in zee te zwemmen en tezelfdertijd toch op een boot te zitten.

Wanneer we uiteindelijk aanmeren, is het al bijna middernacht. Op de duistere kade worden we bestormd door een legertje hotel-, restaurant-, bus- en taxipushers. Nadat we die min of meer hebben afgeschud, worden we aangeklampt door een louche figuur die ons een taxirit naar Marokko aanbiedt. Naar Marokko? Zijn we dan niet in Marokko misschien? Neen, dus! Melilla blijkt een Spaanse enclave in het oosten van Marokko te zijn. Ik ben om te ontploffen! De taxichauffeur vraagt bovendien een astronomisch hoog bedrag om ons naar Oujda, de dichtstbijzijnde stad aan de andere kant van de grens te brengen. Na nog wat afpingelen kruipen we verward, gefrustreerd en vermoeid in de taxi.

Na een donkere rit van een uurtje komen we aan bij de grens. We moeten niet alleen ons paspoort afgeven aan de douane, maar ook onze rugzak openen. Drugscontrole! Drugscontrole? Ik kan mijn oren niet geloven. Drugs worden toch van Marokko naar Spanje gesmokkeld en niet omgekeerd? De douanebeambte fouilleert grondig mijn rugzak en doet een vreemde ontdekking: een bus deodorant. *C'est une bombe?* Voor alle zekerheid neemt hij de spuitbus in beslag. Veiligheid voor alles. Gelukkig houdt hij het bij de bus deo en 'shopt' hij niet verder in onze bagage. Dan begint onze taxichauffeur ons stoer te vertellen over de tijd dat hij als drugkoerier werkte en dus af en toe wel eens wat 'extra bagage' in zijn koffer had. Vandaar die grondige controle? De man beweert ook dat er om drie uur 's nachts nog een trein van Oujda naar Fez rijdt. En hij verzekert ons dat we die ondanks het korte oponthoud aan de grens toch zullen halen. De taxi vliegt zowat door de heuvelachtige nacht.

Om kwart voor vier komen we aan in een slapende stad. Geen trein dus. Hotelletje? *Pas de problème, Monsieur*! Hij belt aan bij het eerste het beste hotel. Geen antwoord. Na veel en luid gebons op de deur – hij deed écht wel zijn best – steekt er een norse man zijn hoofd door het raam. Hij schreeuwt wat in het Marokkaans en onze chauffeur druipt bedremmeld af.

Petit problème, Monsieur. Het hotel zit vol en... er is er maar één. Fijn!

Gelukkig branden er nog wat gezellige TL-lampen boven een bar met een terrasje. Onze chauffeur dropt ons daar en maakt zich uit de voeten. We bestellen dan maar muntthee (*désolé, pas d'alcool, Monsieur*) en brood met olijven. Nog voor we een slok kunnen nemen, duikt er plots een kerel op die ons doodleuk vraagt of we hasj willen kopen. Ik zeg tegen de man dat ik niets wil kopen. Hij vertrekt en komt tien minuten later terug met een enorme plak hasj. Het lijkt wel een pak chocolade van 250 gram! We schateren het uit bij het zien van een dergelijke hoeveelheid. We wijzen het aanbod van de hasjventer vriendelijk maar kordaat van de hand en eten voort. Nu worden we aangesproken door een man die ons al een tijdje van op een afstand discreet in de gaten hield. Hij is heel vriendelijk en biedt ons nog wat muntthee aan. Hij stelt zich voor als de zoon van de politiecommissaris van de stad en informeert ons met uitgestreken gezicht dat we op het nippertje aan een arrestatie ontsnapt zijn. Indien we ook maar iets gekocht hadden, dan zouden we de nacht in de gevangenis doorgebracht hebben. De gruwelijke gevangenisscènes uit de film *Midnight Express*, een film over een jonge smokkelaar die kapot gaat in een Turkse gevangenis, flashen door mijn geest. Slik! Ik laat bijna mijn glaasje hete thee vallen.

'Maar,' vervolgt hij nu met opgewekte stem, 'omdat jullie zulke sympathieke mensen zijn, nodig ik jullie uit bij mij thuis.' We rekenen af en volgen hem door de nauwe steegjes van de nog steeds slapende stad. Bij hem thuis wordt de hele familie opgetrommeld. Voordat we iets kunnen zeggen, wordt de kamer, waar zo-even nog vijf kinderen lagen te slapen, in ijltempo ontruimd om plaats te maken voor de bezoekers.

Bij zonsopgang klinkt de plaatselijke wekker Allààààààh!

Na een zeer korte nacht op een houten bed zonder matras worden we vergast op een ontbijtbuffet om u tegen te zeggen. Nadat we ons uit beleefdheid bijna ziek gegeten hebben aan allerlei koekjes en ander mierzoet gebak doorgespoeld met een paar liter muntthee, krijgen we een lift naar het station. Tot onze grote verbazing komt ook de hasjman ons uitzwaaien. Was het dan toch allemaal opgezet spel?

Na ons politieavontuur in Oujda reizen we met de trein naar Fez, een van de vier koningssteden. We hebben het station nog niet goed verlaten of we worden opnieuw aangeklampt door een horde opdringerige verkopers, gidsen en hotel- en taxipushers. We zwaaien demonstratief met onze reisgids en proberen weg te duiken in de eerste de beste taxi. Een jonge kerel van een jaar of twintig blijft aandringen en om van zijn gezeur af te zijn toon ik hem naar welk hotel we rijden. Ons hotelletje is klein, maar fijn. Groot is onze verbazing wanneer we, na ons een beetje te hebben opgefrist, de jonge gids van zo-even voor ons hotel vinden. Hij stelt voor om ons door de 'medina', de enorme bazaar in het historische centrum van de stad, te gidsen. Omdat ik allergisch ben voor opdringerige verkopers, probeer ik hem te negeren. Ik zeg in het Nederlands dat ik geen Frans versta, maar ben natuurlijk al vergeten dat ik hem een uurtje tevoren nog in perfect Frans heb uitgelegd naar welk hotel we gingen. Hij blijft en blijft maar aandringen en ik maak me kwaad. Het lijkt erop dat hij afdruipt, maar hij blijft ons vanop een kleine afstand volgen.

Het plattegrondje in onze reisgids slaagt er niet in om de waanzinnige doolhof van honderden steegjes duidelijk weer te geven. Na een goeie tien minuten in de soeks weten we al niet meer waar we zijn. Op zich geen probleem, want hier lopen duizenden mensen rond aan wie we de weg naar de centrale moskee kunnen vragen. Iedereen is uiterst vriendelijk en wil heel graag uitleggen hoe we daar geraken, maar... eerst moeten we misschien toch maar even kijken of we niets willen kopen. Uiteindelijk volgen we een vage richtingaanduiding en drie steegjes verder zijn we opnieuw verloren. Onze jonge gids, die ons steeds is blijven achtervolgen, lacht. Hij wist natuurlijk op voorhand wat er zou gebeuren. Opnieuw biedt hij zijn diensten aan. Omdat ik daar nu de zin van inzie, ga ik graag op zijn aanbod in. Dat blijkt een goede keuze. Abderahim brengt ons doorheen een wirwar van nauwe straatjes in één, twee, drie naar de moskee, we zien de leerlooiers aan het werk, de kopersmeden, de glasblazers. We klimmen op de top van een hoog gebouw en genieten van een magnifiek panorama over de hele bazaar.

Om even uit te rusten gaan we in een typisch cafeetje met alleen maar mannen muntthee drinken. Mijn vriendin heeft veel bekijks, maar wordt met respect behandeld. Zo leren we onze jonge gids een beetje beter kennen. En je zou niet in Marokko zijn, mocht het gesprek niet vroeg of laat op hasj (ook wel shit of Marok genoemd) komen. Het kereltje stelt me voor om deze avond de *crème de la crème* van de Marokkaanse stuff te degusteren. Nieuwsgierig als ik ben, zeg ik uiteraard niet nee tegen zo'n aanbod.

Die avond spreken we af in het restaurantje naast het hotel. Sinds ons avontuur met de politie weet ik niet meer wie ik kan vertrouwen. Ik wil dus zo snel mogelijk naar ons hotel kunnen vluchten, als er iets fout mocht lopen. Voor alle zekerheid geef ik ook mijn portefeuille aan mijn vriendin Leen. Mij gaan ze niet hebben, denk ik bij mezelf. Uiteindelijk ben ik in een vreemd land, ga ik iets illegaals doen en ken ik onze gids nauwelijks. Na het eten neemt Abderahim mij mee naar de eerste verdieping van het restaurant. Er zit helemaal niemand, maar je kunt wel de mensen op de benedenverdieping zien. Hij haalt een uit de kluiten gewassen blok hasjiesj boven, verwarmt een hoekje ervan met zijn aansteker, brokkelt het af en strooit het rijkelijk tussen de tabak op een collage van drie vloeitjes. Dan rolt hij een perfecte frietzak en steekt de joint aan.

Ik neem eerst een voorzichtig trekje, maar krijg toch een hoestbui. '*C'est du bon, hein,*' lacht hij. Hij neemt een paar diepe halen. Duidelijk een gewoonteblower. Na nog een paar trekjes voel ik me helemaal misselijk worden en alles begint te draaien. Verdomme! Wat heeft die kerel mij gelapt? Had ik maar neen gezegd! Hij lacht nu hardop en ik zie een paar mensen op de benedenverdieping naar boven kijken. Ik probeer zo goed als het gaat op te staan en zeg dat ik terug naar mijn hotel ga. Ondertussen ben ik volledig paranoïde en ervan overtuigd dat hij voor geen haar te vertrouwen is. Mijn hart bonst in mijn keel en ik probeer niet helemaal in paniek te slaan. Lijkbleek kom ik trapje voor trapje naar beneden, mij krampachtig vasthoudend aan de leuning. Iedereen in het restaurant staart mij aan en Leen springt op. Bezorgd vraagt ze wat er gebeurd is. Ik antwoord alleen maar: 'We gaan terug naar het hotel. Nu!'

Abderahim wil nu ook mee binnenkomen in onze hotelkamer. Ik duw hem naar buiten, doe de deur op slot en laat me op mijn bed vallen. Monsieur Hasjiesj blijft maar op de deur bonzen en Leen schreeuwt dat hij moet opkrassen. Uiteindelijk wordt het stil. Na een half uurtje tollen in bed komen mijn lichaam en mijn geest een beetje tot rust. De poëet in mij ontwaakt. De muze van Baudelaire, Rimbaud en Verlaine – *les poètes maudits* – fluistert mij zinnen toe. Gedurende meer dan een uur componeer ik gedichten in het Frans. Een paar keer vraag ik aan Leen om ze op te schrijven. Jammer genoeg heeft ze daar geen zin in en wil ze liever gewoon meesurfen op mijn creatieve golf.

De volgende ochtend vertrekken we uit Fez om verder naar het zuiden te reizen. Abderahim staat ons weer op te wachten en kijkt heel bezorgd. Hij put zich uit in excuses en is blij dat ik mij nu weer beter voel. Vermoedelijk was de hasj gewoon veel te sterk voor een occasionele roker als ik. Wanneer de bus de stad uit rijdt, zwaait hij ons enthousiast uit. Wat een wonderlijk land is dit toch! Is het omdat de islam alcohol ten strengste verbiedt dat hasj zo populair is?

Waarom toch?

WAAROM
GEBRUIKEN
JONGEREN
DRUGS?*
om stoer te doen
voor de kick
uit nieuwsgierigheid
om erbij te horen
om zich te amuseren
om zich te ontspannen

WAAROM ZEGGEN
JONGEREN
NEEN
TEGEN DRUGS?
omdat ze vinden dat ze het niet nodig hebben
uit angst om verslaafd te geraken
uit angst voor de reactie van hun ouders
omdat het gevaarlijk is
omdat het duur is

(Bron: Scholenbevraging, VAD)

* De gevaarlijkste motivatie 'om problemen te vergeten' staat niet vermeld in de top-vijf.

De matroos

Dit verhaal neemt je mee naar de tijd dat onschuldige burgers van de mannelijke kunne hun land gedurende één volledig jaar moesten dienen.

Matroos-milicien, stamboeknummer weet-ik-veel, specialiteit leraar Frans/Nederlands, gelegerd in de Zeemachtkazerne van Brugge. Van deze eretitel mag ik gedurende twaalf maanden genieten. Ik heb er wel afstand van mijn lange manen voor moeten doen. Daar loop ik dan met een *brosse* in een belachelijk uniform te marcheren, terwijl ik naar de orders van een of andere kerel met een paar latten op zijn schouder moet luisteren. Gelukkig valt ons peloton nogal mee en hebben we met z'n allen afgesproken dat we er het beste van maken. Op donderdagavond laten ze ons los in het centrum van Brugge. Het lijkt wel karnaval met zo'n matrozenuniformpje aan. Je kunt het ongestoord op een roken en zuipen zetten – we bestellen niet per glas, maar per bak – en naar het vrouwelijk schoon fluiten. Uiteindelijk doen we niet meer of minder dan wat van een matroos aan de wal verwacht wordt. Vreemd toch dat marihuana zo streng wordt aangepakt in het leger, terwijl stevig kunnen drinken veeleer als een teken van mannelijkheid wordt beschouwd.

Nu kan ik geen ad fundum drinken, dus gelukkig voor mij duurt zo'n militaire opleiding maar zes weken. Dan word ik overgeplaatst naar Zeebrugge, onder bevel van een zeer sympathieke commandant. Samen met mijn *partner in crime*, een advocaat in spe, beleven we een zinloze, maar wel leuke tijd. Af en toe slaap ik in het taallab in de kelder mijn roes uit in plaats van mijn lessen voor te bereiden. Ik woon immers nog steeds op een studentenkot in Gent en ga iedere avond flink uit. Wanneer ik les geef, pas ik wel de militaire technieken uit mijn opleiding toe. Officieel toon ik in de videoklas een Franse film, zonder ondertiteling. Omdat ik vrees dat deze wrede aanpak mijn studenten zal doen vluchten en ik bijgevolg zonder werk zal komen te zitten, houd ik een filmpje van onze goede vriend Jean-Claude Vandamme achter de hand. Ik zet wachtposten uit en de hele klas kan genieten van de exploten van onze nationale vechtkampioen. Zo leer ik de Belgische strijdkrachten hoe ze zich in een lijf-aan-lijfgevecht moeten verdedigen.

Tijdens dit jaar zonder veel inhoud heb ik mijn hersens op sterk water gezet. Het is weer eens weekend en Max, mijn goede vriend en gids in het wilde uitgaansleven van Gent, brengt me op de hoogte van een exclusief, verkleed feestje op een boot. Over mijn outfit hoef ik niet te lang na te denken. Ik ga gewoon in mijn uniform van de Zeemacht! Wanneer mijn vriend mij zaterdagavond oppikt, ruik ik al onraad. Hij is zelf niet verkleed, maar verzekert me dat hij zijn kostuum nog moet ophalen. We komen aan bij de boot en iedereen bekijkt me alsof ik van een andere planeet kom. Ik ben verdorie de enige die verkleed rondloopt. De smeerlap heeft mij beetgenomen! Van je vrienden moet je het hebben. Aangezien ik zelf geen auto heb, zit er niets anders op dan de rest van de avond als een clown rond te lopen. Om het goed te maken biedt mijn vriend me een jointje aan en ik kan weer lachen om mijn belachelijke situatie. Behoorlijk stoned zwalp ik door het feestgedruis. Niemand let meer op deze vreemde snuiter. Dan zie ik plots een vrouw staan met zwarte zwemvliezen aan. Ik ben blij verrast en complimenteer haar met het feit dat zij tenminste ook de moed gehad heeft om zich te verkleden. Ze kijkt me ongelovig aan. Wanneer ze merkt dat ik het echt meen, wordt ze razend. Of ze misschien haar vriend moet gaan halen om me in elkaar te slaan? Haar ijskoude blik maakt me op slag weer nuchter. Ik kijk opnieuw naar haar voeten en ontdek dan pas dat ze gewoon op een zwarte mat staat. Mij uitputtend in excuses kies ik het hazenpad. Wanneer ik dit bizarre verhaal aan Max vertel, komt hij bijna niet meer bij van het lachen. Gelukkig is het weer allemaal goed afgelopen. Ik mag er gewoon niet aan denken wat er gebeurd zou zijn, mocht het echt tot een vechtpartij gekomen zijn. Ik denk niet dat de militaire politie zou kunnen lachen met een vechtende milicien in uniform onder invloed van wiet. Ik ben weer langs de rand van de afgrond gelopen...

Is cannabis gelegaliseerd?

Op 31 januari 2005 verscheen in het Belgisch Staatsblad een nieuwe Gemeenschappelijke Richtlijn 'omtrent vaststelling, registratie en vervolging van inbreuken inzake bezit van cannabis'. Hiermee wordt – in afwachting van een nieuwe wet – een voorlopig antwoord gegeven op de vernietiging door het Arbitragehof op 21 oktober 2004 van artikel 16 van de nieuwe drugwet van 2003. Aanleiding daartoe was het ontbreken van een concrete invulling van een 'gebruikshoeveelheid van cannabis' en de vage omschrijving van de concepten 'problematisch gebruik' en 'maatschappelijke overlast'. Die creëerden volgens het arbitragehof rechtsonzekerheid voor de burger.

Ondanks de nieuwe drugwet die van kracht is sinds juni 2003, blijft cannabis een illegaal product. Aan cannabisbezit en/of -gebruik kan altijd een straf vasthangen, zowel voor minderjarigen als voor meerderjarigen. Er is dus geen sprake van legalisering, wel van decriminalisering: cannabisbezit en/of -gebruik wordt niet meer per definitie vervolgd. Wat het verkeer betreft, is er niks veranderd: rijden onder invloed van cannabis blijft verboden.

Voor minderjarigen (= jonger dan 18 jaar) verandert er niets: cannabisbezit en/of -gebruik is verboden en wordt altijd vervolgd. Er wordt een proces-verbaal opgesteld en de ouders worden verwittigd. Indien de feiten niet zo ernstig zijn, kan er seponering of strafbemiddeling volgen. In dat geval wordt er niet verder vervolgd. Wanneer het wel om ernstige feiten gaat of er sprake is van herhaling, wordt de jeugdrechter ingeschakeld.

Ook voor meerderjarigen blijft cannabis verboden, maar aan het bezit ervan (maximaal 3 gram en één plant) wordt de laagste vervolgingsprioriteit gegeven. De politie maakt bij vaststelling van bezit voor eigen gebruik wel een vereenvoudigd proces-verbaal op. Dit geeft geen aanleiding tot inbeslagname van de cannabis. Indien bezit echter gepaard gaat met verzwarende omstandigheden (bijvoorbeeld gebruiken in het bijzijn van minderjarigen, dealen...) of verstoring van de openbare orde (bijvoorbeeld gebruik in gevangenissen, scholen, ziekenhuizen...), maakt de politie een gewoon proces-verbaal op, dat wordt doorgestuurd naar het parket. Bij het parket kan de procureur dan verschillende maatregelen treffen: seponering met waarschuwing van de politie en eventueel doorverwijzing naar gespecialiseerde hulpverlening, 'pretoriaanse probatie' (je wordt voorlopig niet vervolgd, maar je moet wel strikte voorwaarden naleven), minnelijke schikking (geldboete) of doorverwijzing naar de correctionele rechtbank

Deze bepalingen uit de nieuwe drugwet zijn enkel van toepassing op cannabis. Bezit en/of gebruik van alle andere illegale drugs wordt altijd vervolgd.

Gele autootjes

Na mijn studies in Antwerpen (1985-1989) ga ik in Gent doorstuderen. Het wordt letterlijk en figuurlijk een geestverruimend jaar. Tot nu toe had ik wel al een paar keer van een joint getrokken, maar verder had ik mij altijd beperkt tot de consumptie van legale drugs. Pint in de ene hand, sigaret in de andere. Dat was mijn klassieke uitgaansstijl.

Nieuwe studies, nieuwe stad, nieuwe vrienden. Heerlijk! Ik geniet met volle teugen van mijn studentenleven. Op een avond staat Max, een van die nieuwe vrienden, aan mijn kot. We zijn de nacht tevoren nog zwaar doorgezakt in het café waar hij als kelner wat bijverdient. De reden dat het zo goed klikt tussen ons is onze gedeelde passie voor knappe vrouwen. We blijken zelfs verliefd op dezelfde vrouw, een lerares Spaans met onweerstaanbare ogen die we geen van beiden kunnen krijgen. Zoiets schept een band.

We installeren ons gezellig op mijn bruine versleten zetel. Dan kondigt Max aan dat hij een verrassing meegebracht heeft. Hij haalt een doorzichtig plastic zakje tevoorschijn dat volzit met wiet. Zoveel! Dat heb ik nog nooit gezien. Ik ben benieuwd hoe hij daaraan komt. Gewoon een kennis die net een succesvolle oogst achter de rug heeft, beweert hij. En er kon wel wat af. Aangezien we wel sigaretten maar geen blaadjes hebben, zie ik niet in hoe we nu een joint kunnen rollen. Hij rommelt wat in zijn jas en... tadaaaa! Hij haalt er een knoert van een pijp uit. Heel gewoon, de pijp van zijn grootvader. Hij stopt die helemaal vol met pure wiet. 'Kun je dat zo wel roken?' vraag ik nog. Dat gaan we nu ontdekken, luidt het antwoord. Ik hoest me te pletter, maar het lukt. Na een tijdje begrijp ik de diepere betekenis van 'zo stoned als een garnaal'. We lachen ons een ongeluk en besluiten de pijp nog eens te vullen. *How high can you get?* Nu beginnen we echt te hallucineren. We zien vreemde dingen in de dichte rook rondzweven. Ik zie reuzengrote cijfers en letters in de meest fantastische kleuren die op en neer dansen. Max rolt over de grond van het lachen en ziet grappige gele autootjes door mijn kot rijden.

Gelukkig voelen we ons goed en zien we leuke dingen. Als je echter begint te hallucineren – dit komt sneller voor bij paddo's en bijna altijd bij LSD – kan het ook gebeuren dat er afschuwelijke monsters of massa's insecten uit de muur komen gekropen. Je kunt ook aan achtervolgingswanen lijden of verschrikkelijk achterdochtig worden. Meestal gaat dit samen met de gevoelens die je op dat moment hebt. Nadat mijn lief een paar keer van mijn joint getrokken had, ging ze half uit het raam hangen om wat frisse lucht te happen. Ze staarde naar een groot kruispunt vijftig meter verderop. Plots had ze het gevoel dat ze midden op dat kruispunt stond. Ze zag het licht op groen springen en de auto's schoten vooruit. Met een gil sprong ze achteruit en gooide het raam dicht. Ze had er genoeg van. Even géén joints meer voor haar!

Plots herinnert Max zich dat we die avond in ons stamcafé hebben afgesproken met de fuifnummers van onze klas. Tijd voor wat frisse lucht. De koude wind brengt ons weer een beetje met onze voeten op de grond. Om vervelende vragen en opmerkingen van onze medestudenten te vermijden hebben we afgesproken dat we zogezegd samen een halve fles whisky leeggedronken hebben. Dat zou ons vreemde gedrag moeten verklaren. Merkwaardig genoeg wordt een dergelijke uitspatting in onze cultuur gemakkelijker aanvaard dan het roken van een paar joints. Wanneer ik het café binnenstap, word ik overweldigd door de vochtige warmte, de luide muziek en de onderzoekende blikken van mijn medestudenten. Vooral rustig blijven en alle paranoïde gedachten uit mijn geest zetten, houd ik mezelf voor. Ik krijg het pas echt moeilijk wanneer de vloer onder mijn voeten begint te bewegen. Het doet mij een beetje denken aan de rubberen vloer van een spookhuis uit mijn jeugd. Ik probeer het hoofd koel te houden en ga richting toog om houvast te zoeken. Maar wat zie ik daar zitten? Een soort afzichtelijke trol. Aan de toog. En hij kijkt mij lang en indringend aan met zijn geniepige ogen. Dit is te veel voor mij. Mijn maag krimpt in elkaar en ik voel me misselijk worden. Ik draai me om, stamel tegen Max dat ik de hallucinaties niet meer aankan en sprint in paniek naar buiten. Daar krijg ik het gevoel dat mijn maag uit mijn lichaam wil springen. In een poging ze bij te houden zet ik het op een lopen. Ik kom pas tot rust wanneer ik weer alleen op mijn kot zit. Overdaad schaadt. Dat is mij nu wel duidelijk. Volgende keer houd ik het toch maar bij één jointje...

Van te veel te smoren krijg ik trouwens soms ook bizarre paranoïde gedachten. Op een goeie dag zitten we met een paar vrienden te filosoferen over het leven. Ik vertel hun dat ik soms het idee krijg dat ik het enige bewuste wezen ben op deze wereld. Ik ben helemaal alleen en het leven is eigenlijk één groot toneel. Alles wat er gebeurt, is er enkel en alleen op gericht om te zien hoe ik zal reageren. Mijn vrienden, de smeerlappen, bevestigen dat dit inderdaad zo is en dat zij mee in het complot zitten. Wanneer ik high ben, moet ik soms echt moeite doen om niet te flippen. Hoe kun je er bijvoorbeeld helemaal zeker van zijn dat de werkelijkheid achter jou, die je op dat ogenblik niet waarneemt, wel écht bestaat?

Dagelijks en intensief misbruik van cannabis, vooral op jonge leeftijd, kan de volgende schadelijke gevolgen hebben. Aangezien wiet (tijdelijk) je kortetermijngeheugen kan aantasten, wordt het steeds moeilijker om je te concentreren. Op zich geen probleem als je met wat vrienden uitgaat. Maar probeer maar eens te studeren of te werken als je continu afgeleid of verstrooid bent. Wiet kan je wel inspireren tot schitterende ideeën en inzichten, maar de volgende morgen blijken de meeste van die ideeën wel iets minder schitterend. Door veel en lang te smoren kunnen je gevoelens afgestompt raken, niets kan je nog schelen en je wilt gewoon met rust gelaten worden. Je kunt het gevoel krijgen dat alleen jij en je (wiet)vrienden begrijpen hoe deze gestoorde maatschappij in elkaar zit. Je kunt ook neerslachtig worden. Je krijgt het moeilijk om problemen echt aan te pakken en vlucht liever in een veilige wietwolk. Als je je hierin herkent, moet je er toch eens met iemand die je vertrouwt over praten. Indien je er aanleg voor hebt, kan het in zeldzame gevallen zelfs gebeuren dat overmatig gebruik van sterke wiet een psychose of latente schizofrenie (een serieuze psychische ziekte) uitlokt.

Drugs in cijfers

- Alcohol
  - o een doorsnee gezin geeft €421 per jaar* uit aan alcohol[1]
  - o 81% van de +15-jarigen dronk het laatste jaar* alcohol, 12% drinkt dagelijks[1]
  - o 87% van de jongeren** heeft ooit al alcohol gedronken, 31% drinkt minstens één keer per week[2]
  - o naar schatting 500.000 Belgen hebben een alcoholprobleem[3]
- Tabak
  - o een doorsnee gezin geeft per jaar* €252 uit aan tabak[1]
  - o België telt naar schatting 28% rokers, 31% ex-rokers en 41% nooit-rokers[1]
  - o 57% van de jongeren** heeft ooit al gerookt, 25% rookt minstens één keer per week[2]
  - o elk jaar sterven bijna 20.000 mensen aan de gevolgen van hun nicotineverslaving[1]
- Medicatie
  - o in 2002 gebruikten we 40 miljoen verpakkingen pijnstillers, 13 miljoen kalmerings- en slaappillen en 7 miljoen doosjes antidepressiva (goed voor een verdubbeling op 10 jaar!)[1]
  - o 7% van de jongeren** neemt minimaal één keer per week medicatie (vooral lichte pijnstillers)[2]
- Illegale drugs
  - o 9% van de +15-jarigen heeft ooit al cannabis gebruikt, slechts 2% gebruikte de laatste maand[1]

- o 24% van de jongeren** heeft ooit al cannabis gebruikt, 5% gebruikt minimaal één keer per week[2]
- o 55% van de mannelijke en 33% van de vrouwelijke studenten aan hogescholen en universiteiten zegt cannabis te gebruiken[4]
- o hulpverleningsinstellingen vangen per jaar zowat 2500 personen met cannabisproblemen op[1]
- o 2% van de +15-jarigen heeft ooit al amfetamines (speed) of XTC gebruikt; 0,3% gebruikte de laatste maand[1]
- o 4% van de jongeren** heeft ooit al speed of XTC gebruikt; 0,4% gebruikt minimaal één keer op week[2]
- o 53% van de jongeren** is al op een plaats geweest waar illegale drugs gebruikt worden[2]

*Belgische cijfers 2001

** Vlaamse leerlingen tussen 12 en 18 jaar

Bronnen: 1 *Drugs etc.*, 2 Scholenbevraging VAD (2001), 3 Cattaert & Pacolet, 2003, 4 Studentstart (Internetenquête bij 1500 studenten)

De kok ligt op het terras

Gent. De hele stad zindert onder een brandende zon. De sfeer is gespannen want er hangt elektriciteit in de lucht. Je kunt het gewoon voelen. Terwijl de ene helft van de bevolking zich haastig uit de voeten maakt, bereidt de andere helft zich voor om er tien dagen lang stevig tegenaan te gaan. Vanavond zullen de Gentse Feesten in alle hevigheid losbarsten en wij zijn uiteraard van de partij.

Ik heb al mijn vrienden uitgenodigd voor een warming-up party bij mij thuis. De bedoeling is om later die avond de stad in te trekken. Maar vooraf willen we in de juiste sfeer komen. Zoals het een goede gastheer betaamt, heb ik voor de nodige legale drugs en hapjes gezorgd. De ramen en deuren staan open en de zwoele zomerwind waait, samen met de gasten, beloftevol binnen. Guillaume, een goede vriend van mij, is een voortreffelijke kok. En hij heeft een verrassing meegebracht: een zelfgebakken cake. Wanneer ik de pretlichtjes in zijn ogen zie, weet ik hoe laat het is. Mijn reukorgaan, dat in die tijd haarscherp staat afgesteld op bepaalde geuren, neemt onmiddellijk de zoete geur van wiet waar. Dit kan alleen maar spacecake zijn! Ik denk onmiddellijk terug aan een vriendin van mij die er niets beters op gevonden had dan samen met drie vriendinnen voor de allereerste keer spacecake te eten en vervolgens met de ouders van een van die vriendinnen op restaurant te gaan. Ze had uiteraard de grootste moeite van de wereld om zich een beetje serieus te houden. Maar door zich zo in te houden kreeg ze het na een tijdje heel benauwd en moest ze naar buiten vluchten voor wat frisse lucht. Uiteindelijk hebben ze alles opgebiecht en hun ouders konden er absoluut niet mee lachen. Op een ander moment en een andere plaats was hun cake-experiment misschien wel geslaagd.

In een oogwenk staat de hele keuken vol met enthousiaste feestvierders met een vragende blik in hun ogen. De meeste zijn benieuwd en willen graag een stukje proberen. Enkele schrokoppen doen zich onmiddellijk te goed aan twee of meer stukjes. Als dat maar goed afloopt! Beseffen ze dan niet dat het een klein uur duurt voordat je enig effect begint te voelen en dat je het (soms hevige) effect daarna niet meer kunt stopzetten? Niet iedereen is even enthousiast en enkele vrienden zien deze drugtaart niet zitten. Geen probleem uiteraard! Nooit iemand pushen is de boodschap.

Soms kun je natuurlijk wel eens in een situatie terechtkomen, waarin het behoorlijk moeilijk wordt om te weigeren. Zo ben ik eens verzeild geraakt op een barbecue, waar ik niemand kende behalve Rik, de vriend die me had uitgenodigd. Op een bepaald ogenblik haalt er iemand een vreemd flesje tevoorschijn. Hij snuift de dampen van de vloeistof diep op en beleeft een korte maar hevige roes. 'Zalig!' schreeuwt hij. 'Ik zat zonet in een baan om de aarde. Dat moet je ook eens proberen!' Ik hoor vertellen dat het om 'poppers' gaat. Aan de ene kant ben ik wel een beetje nieuwsgierig en wil ik niet als enige de flauwerik uithangen. Aan de andere kant ben ik geen fan van chemische drugs en heb ik geen zin om te experimenteren met een nieuwe drug in het gezelschap van mensen die ik niet goed ken. Het flesje wordt doorgegeven en komt langzaam in mijn richting. Ik aarzel... Mijn vriend Rik ruikt voorzichtig aan het flesje, maar ook dat mist zijn effect niet. Ik beslis uiteindelijk neen te zeggen. Waarom zou ik iets tegen mijn zin doen? Dan vinden ze me maar een lul. Als dat hun manier is om mij te beoordelen, dan wil ik niets meer met hen te maken hebben. Tot mijn grote verbazing dringt niemand aan en maakt er ook niemand een probleem van. Respect!

Terug naar ons feestje. Na een goed uur prijs ik mij gelukkig dat dit huis over twee sanitaire ruimtes beschikt. Enkele vrienden die hun stukjes spacecake doorgespoeld hebben met een paar glazen bier of wijn, zijn immers geen beste maatjes meer met hun maaginhoud. Guillaume, de kok, die het niet kon laten om regelmatig de kwaliteit van zijn cake te checken, ligt uitgeteld op het terras. Een vriendin krijgt het plots zo heet dat ze onder een koude douche afkoeling moet zoeken. Wat een leuk feestje moest worden is ontaard in een klein slagveld! De Gentse Feesten zijn dat jaar zonder ons gestart...

Brainstorm in een glas water
Osdorp Posse

Je wilt graag vluchten uit de realiteit
maar kijk eens om je heen, je zit er midden in meid!
je zegt het kan niet zo veel kwaad, ik stop later
want je zit nu in een brainstorm in een glas water

de realiteit is altijd een feit
zelfs na een fokking blackout raak je die niet kwijt
want hier spreekt de waarheid die jij wou ontvluchten
nou heb jij met een bloedende neus wat te zuchten
shit, wat een afknapper, en jij dacht
dat het leuk was, wel ik hoor niemand die lacht!
is er nou dan echt niets wat je nog kan schelen?
jij bent met je gezondheid roulette aan het spelen
en dan zeg je nog, het is toch mijn eigen leven?
erg leuk voor de mensen die wel om je geven
Naïeve egoïstische kut dat je er bent!
wat doe je voor wat heroïne als je blut bent?
'Gezellig' met wat vrienden aan de coke of aan de speed
wel die mensen die dat met jou doen zijn je vriend niet
want ze geven geen reet om jou en ik wel
maar jij vindt dat ik zeik en naar hun luister je wel
en dan vraag jij je af waarom mijn bloed gaat koken
als ik hoor dat jullie speed snuiven en coke roken
en enkele keer valt dan misschien wel mee
maar echt, één plus één is nog altijd twee
en je blijft en blijft en blijft het maar doen
het is zonde van je lichaam en zonde van je poen

ik begin over verslaving en jij zegt kom op man
maar je kent nou al die drugs toch? trut stop dan!
nieuwsgierigheid kan jij je niet meer achter verschuilen
dus zeg me de reden, nee ga nou niet huilen
die shit werkt nou bij mij toch al niet meer
ik ben nu al teleurgesteld om jouw volgende keer
en heb niet het lef het ooit eens te doen waar ik bij ben
want ik zweer je dat dan ook jij niet meer zo blij bent
ik kan voor jou behulpzaam of keihard zijn
en de bestemming van jouw trip die is dan niet zo fijn!

Het is brainstormen in een glas water
het lijkt nu nog zo leuk, maar de ellende komt later
je leeft in een andere wereld, maar ergens
ben je nou op dit moment helemaal nergens

nee ik wil je niet vertellen wat je wel en niet mag,
maar eh, ik kan toch ook niet net doen of ik het niet zag
echt, het hoeft van mij niet altijd van dat veilige
want ik ben met drank en drugs ook geen heilige
maar als jij van te voren niet je grenzen bepaalt
kan ik je wel vertellen waar je achteraf van baalt
want in het begin ging het je om de kick en de lol
maar je verandert nou in een afhankelijke snol
en ik kan het allemaal best wel begrijpen
dat de realiteit jouw keel kan dichtknijpen
maar ontsnappen dat zijn grappen waar de slappen in trappen
dus blijf toch met die harddrugs niet aanpappen
ook mijn gedachtes kunnen ver afdwalen
maar daarvoor hoef ik geen shit bij een dealer te halen
jij wil ergens komen, maar je staat gewoon stil
en je maakt mij niet wijs dat dit hetgeen is wat je wil

Het is brainstormen in een glas water
het lijkt nu nog zo leuk, maar de ellende komt later
je leeft in een andere wereld, maar ergens
ben je nou op dit moment helemaal nergens

Def P

Hitparade

Hieronder volgen enkele van de meest gestelde vragen over drugs en hun antwoorden. Voor meer uitgebreide informatie en andere vragen surf je naar www.druglijn.be.

Waaraan kun je allemaal verslaafd geraken?

In principe kun je afhankelijk worden van elk product of elke activiteit die genot brengt. Bij het woord 'verslaving' denken de meeste mensen onmiddellijk aan illegale drugs, zoals cannabis, cocaïne of heroïne. Maar uiteraard kun je evengoed afhankelijk zijn van legale drugs, zoals alcohol of sigaretten. Ook van medicijnen kun je afhankelijk worden. En daarnaast zijn er nog een hoop andere dingen waarvan iemand afhankelijk kan worden, zoals gokken, internet (chatten, gaming...), seks, winkelen, chocolade en ander snoepgoed, eten of tv-soaps.

Wat is het verschil tussen softdrugs en harddrugs?

Vaak wordt er een onderscheid gemaakt tussen softdrugs en harddrugs. Met softdrugs bedoelt men dan producten die minder schadelijk zijn, waarbij er weinig of geen ontwenningsverschijnselen, tolerantie en afhankelijkheid voorkomen. In de praktijk gaat het dan over cannabis. In plaats van een onderscheid tussen soft- en harddrugs te maken kun je beter praten over zacht en hard gebruik. Hierbij gaat het dan niet om het product op zich, maar om hoe mensen ermee omgaan. Zacht gebruik betekent dat iemand geleerd heeft of goed weet hoe hij het best met een product kan omgaan. Iemand die bijvoorbeeld maar af en toe en op een rustige, genietende manier alcohol drinkt, gebruikt die drug zacht. Hard gebruik betekent veel (of te veel) en puur roesgericht gebruiken, dus om zo snel mogelijk een effect te voelen. Het kan daarbij gaan om het experimenteren met een onbekende drug, maar het kan ook gaan om echt probleemgebruik door iemand die afhankelijk geworden is van een drug. Hard gebruik kan op het moment zelf voor problemen zorgen. Iemand kan bijvoorbeeld ziek worden door te veel te gebruiken of onder invloed een ongeval veroorzaken. Het zal ook veel sneller tot echte drugproblemen en afhankelijkheid leiden. Conclusie: elk product kan dus zowel op een zachte als op een harde manier gebruikt worden. Zo zijn er mensen die zware problemen hebben met zogenaamde softdrugs, terwijl er evengoed mensen bestaan die zogeheten harddrugs gebruiken en daar toch relatief weinig problemen door ondervinden.

Klopt de 'stepping stone'-theorie?

De 'stepping stone'-theorie gaat ervan uit dat alles begint bij cannabis en dat cannabisgebruik leidt tot het gebruik van hardere drugs. Je lichaam zou door het gebruik van cannabis stilaan meer en zwaardere drugs nodig hebben. Dit is niet het geval. Het is wél zo dat harddruggebruikers bijna altijd cannabis gebruikt hebben. Maar tegelijk blijkt dat de grote meerderheid van alle cannabisgebruikers er voor zijn of haar dertigste mee stopt en nooit in contact komt met andere illegale drugs. Het product cannabis op zich kan dus niet beschouwd worden als de oorzaak voor het gebruik van andere illegale drugs. De misvatting bestaat omwille van de verwarring tussen het statistische verband en het oorzakelijke verband. Als men naar de statistieken kijkt zullen alle harddruggebruikers eerder ook wel melk gedronken hebben. Dat betekent daarom nog niet dat melk drinken de oorzaak is van harddruggebruik.

Ben je van de eerste keer verslaafd aan heroïne?

Heroïne verschilt van veel andere drugs doordat het lichaam vrij snel went aan het effect van de drug. Het lichaam bouwt tolerantie op. Door die gewenning moet een gebruiker op den duur steeds meer heroïne gebruiken om nog een effect te voelen.

Op die manier kun je snel lichamelijk afhankelijk worden van de heroïne. Dat je van de eerste keer meteen verslaafd raakt, is overdreven. Maar het staat wel vast dat heroïne sterk verslavend is! Wanneer heroïne is uitgewerkt, krijg je ontwenningsverschijnselen: je voelt je ziek, krijgt buikkrampen, je zweet, krijgt het warm en koud. Eigenlijk is je toestand het best te vergelijken met een zware griep. Gebruik je opnieuw heroïne, dan verdwijnen deze klachten. Je raakt daardoor makkelijk in een cirkel van steeds vaker gebruiken. Heroïne zorgt er dus voor dat je veel gemakkelijker dan bij andere drugs meer en intensiever begint te gebruiken, zodat er afhankelijkheid of verslaving kan ontstaan.

Er worden drugs gebruikt in de jeugdbeweging: wat kan ik doen?

Merk je als leider of leidster dat jongeren plots zomaar een joint opsteken, omdat het volgens hen 'nu mag'? Organiseer je een fuif en ben je bang dat er pillen binnengesmokkeld worden? Wat doe je als je in vertrouwen wordt genomen over iemands problemen met drank, drugs, pillen of gokken? Moet je de ouders inlichten, hoe kun je er met de jongeren over praten? Hoe moet je met de jongeren zoeken naar een oplossing? Moet je sancties opleggen en hoe? Allerlei vragen kunnen de kop opsteken en een antwoord vinden is niet vanzelfsprekend.

Als je in de jeugdbeweging met een 'crisissituatie' te maken krijgt, heb je het recht om een 'crisisperiode' in te lassen.

Geef jezelf en de andere medewerkers even een time-out. Gun jezelf de tijd om rustig na te denken over hoe jullie willen reageren. Dé goede of dé verkeerde reactie bestaat niet, maar paniek is meestal een slechte raadgever. Ga niet te impulsief te werk en zorg voor een consequente, doordachte en redelijke reactie. Een jeugdbeweging wil jongeren een veilige ruimte geven om te experimenteren op allerlei vlakken van het leven. Daarom is het voor de goede werking interessant om een evenwichtig beleid over drank, drugs, pillen en gokken uit te werken. Een beleid waarover nagedacht is, gediscussieerd is en waarmee elke medewerker en elk lid akkoord kan gaan. Uiteraard moet je hierbij ook rekening houden met de drugwetgeving.

Om jeugdbewegingen te ondersteunen bij de uitwerking van een drugbeleid, ontwierp VAD, in samenwerking met de koepelorganisaties van de jeugdbewegingen, de site www.drugsinbeweging.be.

Wat zijn signalen van druggebruik?

Zeker wanneer iemand maar af en toe gebruikt, is het heel moeilijk om vast te stellen of hij drugs neemt. Slecht eten of slapen, zich moe voelen, zijn symptomen die te maken kunnen hebben met druggebruik, maar ze kunnen ook allerlei andere oorzaken hebben.

Mogelijke signalen van druggebruik zijn: er bleek uitzien, vermoeidheid, veranderde eetlust, vermageren, heel kleine pupillen of juist heel wijde, een andere vriendenkring, slechtere schoolresultaten, geen interesse meer in hobby's, gezin of relaties, sterke stemmingswisselingen (agressief, depressief, uitgelaten)... Maar ook andere problemen of zorgen kunnen die signalen veroorzaken. Veel van de opgesomde signalen zijn trouwens kenmerkend voor de puberteit, een periode waarin er bij jongeren altijd wel iets verandert. Het is vaak pas wanneer er almaar meer van die signalen opduiken en ze ook blijven aanhouden, dat met meer zekerheid gezegd kan worden dat ze te maken hebben met druggebruik.

Het is niet altijd evident om van bepaalde gedragingen te besluiten of deze een gevolg zijn van druggebruik of niet. Probeer de veranderingen die je opmerkt bespreekbaar te maken. Praat over je bezorgdheid. Zo laat je aanvoelen dat je de persoon in kwestie (bijvoorbeeld je kind of partner) niet uit het oog verliest. Of iemand drugs gebruikt of niet, kan lang in een welles-nietes-discussie blijven vastzitten. Dat iemand er niet goed uitziet of er bedrukt bijloopt, hoeft geen punt van discussie te zijn. Daarover praten lukt ongetwijfeld een stuk makkelijker.

Hoe kan ik testen of mijn kind drugs gebruikt?

Vele ouders zijn geneigd om de urine van hun kind te testen, wanneer ze vermoeden dat het drugs gebruikt. Ook verschijnen er in de pers regelmatig berichten waarin ouders urinetests aanprijzen als oplossing voor mogelijk druggebruik van hun kinderen. Ouders kunnen hun kinderen laten testen op druggebruik bij de huisarts die de urinetest doorstuurt naar een lab. Ze kunnen het ook thuis doen, want deze tests zijn vrij te koop bij sommige apothekers. Zulke tests kunnen afbraakstoffen van een aantal drugs, zoals cannabis, in de urine opsporen.

De meeste drugs blijven in je bloed zitten tot je het effect ervan niet meer voelt. Nadien blijven ze opspoorbaar door de afbraakproducten die in je urine zitten. Van de meeste drugs vind je na drie dagen geen spoor meer terug. Uitzondering hier is cannabis. Deze drug wordt opgeslagen in het vetweefsel van je lichaam en kan tot vijf dagen opspoorbaar blijven in je lichaam, zelfs als je maar één joint rookt. Indien je regelmatig of dagelijks blowt, kan dit oplopen tot drie en in sommige gevallen zelfs zes weken. Urinetests die niet door een lab worden geanalyseerd, zijn niet volkomen betrouwbaar. Ze hebben allerlei beperkingen.

Bovendien, wat doe je als het resultaat positief is? Je weet dan immers wel dat je kind drugs gebruikt heeft, maar een positieve urinetest is maar een momentopname en zegt weinig of niets over de omvang en het tijdstip, laat staan over de evolutie of de reden van het druggebruik. En stel dat de test negatief is, maar er blijven symptomen merkbaar die in de richting van drugs wijzen, zijn alle zorgen dan opgelost? Is het vertrouwen in je kind dan blindelings hersteld? Welke garantie biedt een negatief resultaat dat je kind bijvoorbeeld vorige maand niet gebruikt heeft of het binnen een half jaar niet zal doen? En hoe lang houd je een regime van continu testen aan: een half jaar, één, twee of vijf jaar? Het testresultaat (positief of negatief) zou wel eens meer vragen kunnen oproepen dan het antwoorden biedt.

Ouders met vermoedens van druggebruik zijn natuurlijk erg bezorgd en voelen zich soms machteloos. De ontgoocheling in hun kind is vaak heel groot. Het is inderdaad niet zo eenvoudig om te merken of je kind cannabis of andere drugs gebruikt. Enkel afgaan op uiterlijke symptomen, zoals de klassieke verwijde pupillen of rode ogen, is nogal riskant. Een test lijkt dan zekerheid te kunnen bieden, maar een wondermiddel is het zeker niet.

Met of zonder urinetest, vroeg of laat is er toch een echt gesprek tussen ouder en kind nodig. Anders raakt het probleem niet opgelost. De beste manier om te weten te komen of je kind drugs gebruikt, is uit de mond van je kind zelf. Dat vereist wel dat er in het gezin op een open en eerlijke manier over persoonlijke dingen gepraat kan worden: bijvoorbeeld over relaties en het gebruik van de pil, en ook over drugs. In een goede verstandhouding met de kinderen krijgen de ouders vaak veel meer duidelijkheid dan door via allerlei omwegen op zoek te gaan.

Een romantisch avondje op de spoed

Na drie jaar vlinderen ben ik opnieuw verliefd! Omdat het laatste meisje met wie ik een tijdje samen ben geweest mijn hart gebroken heeft, durf ik me in het begin niet echt te laten gaan. Mijn nieuwe vriendin Carmen is net een week op studiereis geweest en ik heb haar vreselijk gemist. Een goed teken, vind ik. Om ons weerzien te vieren heb ik als verrassing een leuk restaurantje geboekt. Voor de gezelligheid bestellen we een fles goeie witte wijn. Na dit romantische etentje wandelen we naar mijn kot. Carmen weet dat ik af en toe wel eens smoor en dat wil ze nu ook wel eens proberen. Hoewel ik vreselijk onhandig ben, slaag ik er toch in om met behulp van een rolapparaatje zelf een kleine joint te rollen. Hoestend en proestend roken we samen het 'toetje' op. Wat een hemelse avond moest worden, draait uit op een van de zwartste dagen van mijn leven.

Kort nadat we gesmoord hebben, voelt Carmen zich draaierig, misselijk en krijgt ze hartkloppingen. Verdorie, ik had beter moeten weten. Ze was al vermoeid door die studiereis, daar bovenop die halve fles wijn gevolgd door een joint. Dat moest slecht aflopen. Ik probeer haar te kalmeren en stel voor dat ze wat op bed gaat liggen. Ze klaagt dat ze het koud heeft en begint over haar hele lijf te trillen. Een beetje vruchtensap en wat frisse lucht, dat zal wel helpen, denk ik, terwijl ik het hoofd koel probeer te houden. Met wijd opengesperde ogen schreeuwt ze dat ze gaat sterven. Nu raak ik toch echt in paniek. Dit heb ik nog nooit meegemaakt. Je kunt toch niet sterven van een joint? Carmen voelt dat ik onzeker ben en eist dat ik een ziekenwagen bel. Tevergeefs probeer ik dit uit haar hoofd te praten. Omdat ze dreigt zelf naar een telefooncel te stappen, stel ik voor om wat te gaan wandelen. Dit helpt niet onmiddellijk en ze blijft aandringen. Ondertussen zitten we samen in het diepe dal van een *bad trip*. Uiteindelijk bel ik in paniek een ziekenwagen. Na een kwartier wordt er aan de deur gebeld. Ik durf niet open te doen en hoop dat ze vanzelf weer weg zullen gaan. Carmen is nog altijd volledig in paniek en schreeuwt dat ik open moet maken. Ik ben zelf zo verward dat ik niet opmerk dat ik in de trappenhal de ambulancier gewoon voorbijloop. Beneden staat de voordeur open en de andere ambulancier verzekert me dat zijn collega al binnen is. Ik storm weer naar boven en daar komt Carmen al naar beneden, ondersteund door een verpleger. Woedend vraagt hij mij welke drug ik haar gegeven heb. Ik probeer uit te leggen dat we gewoon samen een jointje gerookt hebben. Dat gelooft hij niet en hij beschuldigt me ervan dat ik haar LSD gegeven heb, wat ik uiteraard met klem ontken. Ze stappen in de ziekenwagen en schuiven de deur voor mijn neus dicht. Ik mag niet mee naar het ziekenhuis en moet maar thuis blijven tot de politie komt. Politie?! Ja, wanneer je de 100 belt, wordt dit altijd doorgegeven aan de politie, verzekert hij me*. De ziekenwagen vertrekt en ik vlieg weer naar boven. Snel alle sporen wissen voordat de politie binnenvalt. Het kleine beetje wiet dat ik nog heb, spoel ik door. Ik zet de ramen wagenwijd open. Dodelijk ongerust spring ik op mijn fiets en ga op zoek naar Carmen. De ambulanciers hadden echter niet gezegd naar welk ziekenhuis ze haar zouden brengen.

Ik fiets naar het dichtstbijzijnde hospitaal. Niks! Onderweg naar het tweede ziekenhuis is het hevig beginnen te regenen. Druipnat kom ik aan bij de receptie. Weer niks. Wat een ellende! Helemaal doorweekt rijd ik naar de spoedafdeling van het derde ziekenhuis. De poort is gesloten. Ik druk op een knop en geruisloos gaat de poort omhoog. Een enorme, lege garage. Zodra ik binnen ben, rolt de poort vanzelf weer naar beneden. Er is geen weg terug. Ik wandel door eindeloze, helverlichte gangen zonder iemand te ontmoeten. Het lijkt allemaal zo onwerkelijk dat ik me echt begin af te vragen of ik in een Kafkaiaanse droom terecht ben gekomen. Misschien word ik straks wel gewoon wakker uit deze nachtmerrieachtige trip. Uiteindelijk kom ik bij de receptie. Als ik uitleg voor wie ik kom, krijg ik een verwijtende blik van de verpleegster. Alsof ik een schaamteloze dealer ben die onschuldige meisjes dwingt om drugs te gebruiken.

Eindelijk vind ik Carmen op een bed. De witte lakens en de felle verlichting zijn niet bepaald rustgevend. Ze ziet er nog wat bleekjes uit, maar ze voelt zich alweer beter. We vallen in elkaars armen. In het ziekenhuis hebben ze uiteindelijk ook niets meer kunnen doen dan wat ik al gedaan had. Wat vruchtensap drinken, eventueel iets eten, veel frisse lucht en veel rusten. We laten een taxi bellen en rijden zwijgend naar huis. Wanneer we de trap opgaan moet ze plots overgeven. Daarna voelt ze zich stukken beter en we gaan uitgeput slapen. De volgende morgen voelen we ons allebei wat onwennig. Ik voel me verschrikkelijk schuldig en haat mezelf voor wat er gebeurd is. Carmen beseft nu dat ze heeft overgereageerd en voelt zich een beetje dwaas. Geen goed begin voor een relatie.

Een paar dagen later ga ik haar op een avond opzoeken op haar kot. Ze doet de deur op een kier open en vraagt zenuwachtig wat ik kom doen. Vreemd! Ik vraag haar of ze misschien bezoek heeft. Ze kan niet verbergen dat er nog iemand in haar kamer is. Waarom doet ze dan zo geheimzinnig? Even later maak ik kennis met een man van een jaar of vijftig die Engels spreekt met een zwaar accent. Iemand die ze ontmoet heeft op haar studiereis en die 'toevallig' in België moest zijn. Ik ruik onmiddellijk onraad. Die kerel zit duidelijk in zijn midlifecrisis en is tot over zijn oren verliefd op haar. Hij doet dan ook alles om indruk te maken op haar en om mij wat belachelijk te maken. Ik heb geen zin in domme spelletjes en vertrek.

De volgende dag vraag ik haar hoe het zit met die ouwe zak. Ze blijft bij hoog en bij laag beweren dat er niets aan de hand is. Kort daarna maakt Carmen het definitief uit. Later verneem ik via via dat ze wel degelijk een relatie met die kerel heeft. Die heeft haar bovendien wijsgemaakt dat ik bij de politie als drugsdealer bekend sta en dat ze voor haar eigen bestwil maar beter geen contact meer heeft met mij. Uit deze drugstory heb ik geleerd dat je beter geen alcohol en wiet combineert en dat drugs relaties niet alleen kunnen versterken, maar ook kapot maken.

* Dit is natuurlijk geen reden om, als het écht fout loopt, je vriend(in) te laten stikken. Je kunt immers altijd de ziekenwagen van het Rode Kruis (105) bellen of de dokter van wacht. Zij brengen de politie niet automatisch op de hoogte. Je kunt je onfortuinlijke vriend(in) uiteraard ook zelf naar een dokter of een ziekenhuis (laten) brengen.

10 tips voor ouders van experimenterende jongeren

1. Durf erover te praten. Het best open en vooral rustig.

Natuurlijk is dit niet gemakkelijk! Het is immers begrijpelijk dat je, wanneer je vermoedt of ontdekt dat een van je kinderen experimenteert met drugs, overspoeld wordt door woede, angst, frustratie, verdriet... Met roepen, verwijten en dreigementen riskeer je de situatie alleen maar erger te maken. Probeer eerst zelf tot rust te komen, voordat je aan zo'n belangrijk gesprek begint. Denk na hoe je bijvoorbeeld zou reageren, mocht je kind regelmatig stomdronken thuiskomen. Door erover te praten help je als ouder een mening te vormen, juiste informatie te vergaren en sterker te staan tegenover de druk van anderen.

2. Druk eerst en vooral je bezorgdheid uit.

Uiteraard ben je bezorgd! Het zijn immers jouw kinderen en je wilt niets anders dan het beste voor hen. Uiteraard hebben je kinderen er weinig aan dat je bezorgd bent voor bijvoorbeeld de goede naam van de familie. Leg hun rustig uit hoe jij je voelt. Vertel over je angst dat ze verslaafd raken.

Geef jezelf niet de schuld. Als jongeren met drank of drugs experimenteren of erdoor in de problemen komen, ligt dit zelden aan de opvoeding alleen.

3. Verwoord concrete signalen.

Het is niet gemakkelijk om met zekerheid te weten te komen of een jongere nu al of niet gebruikt. Indien je het vertrouwen van je kind niet wilt verliezen, is het van het grootste belang om niet ongevraagd en achter zijn rug zijn kamer uit te vlooien op zoek naar sporen, laat staan een urinetest te eisen. Veel belangrijker is het om concrete signalen te verwoorden. Bijvoorbeeld slechte schoolresultaten, verminderde interesses in hobby's, afspraken niet nakomen, weinig thuis zijn...

4. (Ver)oordeel niet op voorhand.

Veroordeel nooit je kind, maar eventueel wel zijn gedrag. Als een jongere echter weet dat zijn gedrag niet op voorhand veroordeeld zal worden, is er meer kans dat er een open gesprek kan volgen. Het is altijd mogelijk dat die slechte schoolresultaten en die rode oogjes meer met een liefdeshistorie dan met drugs te maken hebben.

5. Luister ernstig naar zijn/haar visie.

Uiteraard wil je adviezen geven, straffen uitspreken, je emoties de vrije loop laten. Maar hoe moeilijk het ook is om eerst te luisteren, geef je kind eerst de kans om zijn verhaal te brengen. Voor opgroeiende jongeren is het belangrijk dat ze een eigen mening mogen hebben. Jongeren die 'neen' zeggen tegen drugs, hebben ook in andere situaties 'neen' mogen en durven zeggen. Ook tegen hun ouders. Wie gestimuleerd wordt om zelfstandig keuzes te maken en duidelijk zijn mening te kennen mag en durft geven, zal minder snel in de problemen geraken met drugs.

Openstaan voor de mening van je kind wil uiteraard niet automatisch zeggen dat je dat gedrag ook goedkeurt. Die openheid kan er wel voor zorgen dat je kind ook meer openstaat voor jouw advies.

6. Stel open vragen.

Open vragen zijn vragen waarop je niet met 'ja' of 'neen' kunt antwoorden. Deze vragen beginnen met de woorden hoe, waar, wanneer, wie... en vooral waarom. Als je zo goed als zeker bent dat er drugs in het spel zijn is: 'Je hebt weer drugs gebruikt, zeker?' geen ideale vraag. Beter is het om bijvoorbeeld te vragen wat hij/zij zelf van vindt van het gebruik, hoe hij/zij zich erbij voelt en hoe hij/zij denkt dat het nu verder moet.

7. Praat niet alleen over de risico's.

Informeer je op voorhand, zodat je het met je kind over beide kanten van de drugsmedaille kunt hebben. Op het eerste zicht kunnen drugs leuk zijn, maar ze brengen ook veel risico's mee. Jongeren hebben niet altijd een objectief beeld van de voor- en nadelen van druggebruik. Via vrienden horen ze meestal alleen hoe leuk drugs wel zijn. Help je kind een verantwoorde keuze te maken door samen te zoeken. Wat is verantwoord? Waar liggen de grenzen? Wat zijn de verantwoordelijkheden?

8. Vraag naar motieven.

Probeer te weten te komen waarom je kind experimenteert. Is het gewoon uit nieuwsgierigheid? Of probeert het via drugs problemen of verveling aan te pakken? Gebruikt het omdat 'iedereen het doet' en het eigenlijk niet durft te weigeren? Gaat het met andere woorden om 'normaal' afwijkend puberaal gedrag (nieuwsgierigheid, stoer doen, kicks zoeken, 'cool' zijn...) of is er iets meer aan de hand?

9. Maak verschil tussen gebruik en misbruik.

Maak je ook niet te snel overdreven veel zorgen: veel jongeren experimenteren met wiet, slechts een minderheid raakt er zwaar mee in de problemen. Meestal gebeurt dit omdat hun druggebruik een symptoom is van een onderliggend probleem waarmee ze niet omkunnen (bijvoorbeeld pesten, ruzies, scheiding, verdriet, verveling, schoolmoeheid).

Net als bij legale drugs zoals alcohol zijn er ook mensen die af en toe illegale drugs gebruiken (bijvoorbeeld cannabis), zonder er ooit mee in de problemen te komen. Denk eraan dat je als ouder een voorbeeldfunctie hebt. Hoe ga je zelf om met conflicten, tegenslagen, gevoelens? Hoe ga je zelf om met alcohol, tabak en medicatie?

Probeer te weten te komen waar en wanneer je kind gebruikt. Er is een groot verschil tussen smoren tijdens het weekend of smoren tijdens de middagpauze. Hier gelden gelijkaardige gebruiksregels als voor alcohol.

10. Maak samen duidelijke afspraken en stel grenzen.

Probeer afsluitend samen duidelijke afspraken te maken waarin beide partijen zich kunnen vinden. Het helpt jongeren te weten waar de grenzen liggen en wat de concrete gevolgen zijn bij overtreding van de regels.

De beste preventie

De beste preventie is een liefdevolle open relatie met je kinderen. Breng voldoende tijd samen door, zodat je weet wat hen bezighoudt en waarvan ze wakker liggen. Jongeren die zwaar in de problemen komen met drugs, zaten vaak met een probleem waarover ze met niemand konden praten. Om de pijn, de onzekerheid, de angst of de twijfel dan maar te verdoven grijpen ze naar *verdovende* middelen.

'Een ouder die het gesprek niet durft aangaan uit angst de moeilijkheden die dan naar boven komen niet aan te kunnen, reageert eigenlijk op dezelfde manier als iemand die zijn heil zoekt bij drugs. Het is het gemakkelijkst en brengt een oplossing op korte termijn, maar op langere termijn kom je er niet mee vooruit, integendeel.' (Johan De Keyser over het toneelstuk *Ik gebruik mij* in het tijdschrift *De Bond* 29/10/04)

Aanbevolen lectuur voor ouders

De Ridder, Helga, *Jongeren, ouders en drugs*, Garant, 2001.
Dom, Geert, *Drug-skenner*, EPO, 2000.
Goodyer, Paula, *Jongeren en drugs*, Deltas, 2001.
Jongeren en druggebruik, Provincie Antwerpen en Oost-Vlaanderen, 2002.
Of kijk samen eens naar een film over drugs (zie lijst achteraan dit boek) en praat erover met elkaar.

Voor concreet advies kun je terecht bij

andere ouders, het Centrum voor Leerlingen Begeleiding (het vroegere PMS), de huisarts of bij de Druglijn (078/15.10.20) of www.druglijn.be.

Meeting op hoog niveau

Sinds een paar maanden werk ik in een hip reclamebureau. Het is mijn eerste job en ik ben blij dat ik alles wat ik gestudeerd heb, nu eens in de praktijk kan brengen. Het is maandagmorgen en het voltallige team, een tiental mensen, zit samen in de grote vergaderzaal. Om beurten stelt iedereen zijn planning van de week voor en dan reageren we op elkaars voorstellen. Wanneer ik aan de beurt kom, begin ik enthousiast te vertellen. Midden in mijn uitleg gebeurt er iets vreemds. Totaal onverwacht word ik me voor het eerst in mijn leven echt van mezelf bewust. Het lijkt wel alsof ik naast mezelf sta en me hoor spreken. Nog nooit heb ik mezelf zo aandachtig kunnen observeren. Grappig vind ik de manier waarop ik me met veel grote woorden in het middelpunt van de belangstelling plaats. Hoor hem daar eens bezig, denk ik. Dan begint iedereen verbaasd te staren. Doordat ik zo gepassioneerd bezig was met mezelf te observeren, ben ik helemaal vergeten waarover ik aan het vertellen was, met als gevolg dat ik halfweg een zin 'uitgevallen' ben. Totaal van de kaart kom ik weer tot mezelf. André, de directeur, vraagt me wat er met mij aan de hand is. Een beetje beschaamd geef ik toe dat ik de avond tevoren nogal zwaar ben uitgegaan en dat ik me niet zo goed voel. Uiteraard vertel ik er niet bij dat we vermoedelijk wat te veel wiet geblowd hebben. André maakt me er vriendelijk maar kordaat op attent dat mijn studententijd over is en dat ik elke ochtend fris op mijn werk moet verschijnen. Noodgedwongen verlaat ik de vergaderzaal en ga even een wandelingetje maken. Dat is de laatste keer dat ik op zondagavond nog zwaar doorzak.

Ik houd immers van stevig uitgaan, maar ook van mijn werk. Het enige wat ik écht dringend nog moet leren is beide gescheiden houden. Dat geldt trouwens ook voor wiet smoren en studeren.

Pas jaren later zie ik in dat deze ervaring de rest van mijn leven veranderd heeft. Door je omgeving, je lichaam en je gedachten heel bewust en nauwgezet te observeren leer je enorm veel over wie je bent. Technieken als yoga en meditatie helpen je hierbij. In het begin sta ik hier zeer sceptisch tegenover. Ik ben van nature nogal een nuchtere kerel met beide voeten stevig op de grond. Wetenschappelijke modellen en verklaringen, duidelijkheid, cijfers, zekerheid. Gefascineerd ben ik wel door alles wat de wetenschap (nog) niet volledig kan verklaren. Ik verslind boeken over astronomie, kwantumfysica en de relativiteitstheorie. Einstein, *here I come*! Dan ontmoet ik Tika. Zij is al jaren met yoga bezig. Ik vind al dat oosterse gedoe maar niks. Het lijkt wel een sekte. Ze vertelt me dat yoga je lichaam en geest ontspant en dat je via meditatie jezelf leert te observeren. Soms gebeurt het ook dat je totaal nieuwe ervaringen krijgt. Dit is geen doel op zich, maar wel een aangenaam bijverschijnsel voor een freak als ik. Mijn nieuwsgierigheid heeft het uiteindelijk gewonnen van mijn wantrouwen. Ik vind dat je van al die alternatieve dingen niets zomaar moet geloven. Wel is het de moeite om je op zijn minst open te stellen voor nieuwe mogelijkheden en ze echt een kans te geven. Uiteindelijk kun je dan vanuit je eigen ervaring een oordeel vellen. Van de vele dingen die ik heb uitgeprobeerd, blijven vooral yoga en meditatie bovendrijven. Ze hebben me ook geholpen bij de zware trips die ik tijdens onze wereldreis (zie verder) heb beleefd.

Ecodrugs

Ecodrugs zijn planten die op 'natuurlijke' wijze lichaam en geest beïnvloeden. Hiertoe behoren onder andere paddo's. Dit zijn psychoactieve paddestoelen. In Nederland kun je enkel nog verse paddestoelen kopen in smartshops. Alle bewerkingen (gedroogde paddo's, thee enzovoort) zijn buiten de wet geplaatst. In België zijn paddo's verboden, hoewel ze hier in het wild groeien. Sinds het plantendecreet uit 1997 zijn de meeste zogenaamde ecodrugs in België verboden. Andere ecodrugs, bijvoorbeeld op basis van taurine, efedrine of guarana, worden nog steeds vrij verkocht, maar ze zijn in combinatie met alcohol ook niet volledig ongevaarlijk voor het hart.

Let ook op als je wild gaat experimenteren met allerlei planten die in de tuin of in de natuur groeien. Levensgevaarlijk zijn bijvoorbeeld doornappel, wolfskers en bilzekruid. Ik ken een paar kerels die pas na een paar dagen op de psychiatrische afdeling weer bij zinnen zijn gekomen. Er bestaan ook cactussen die je een krachtige trip kunnen bezorgen. Informeer je dus vooraf zéér grondig en houd het nummer van het antigifcentrum bij de hand wanneer je zo gek bent om zelf planten of paddestoelen te gaan plukken.

De heksensabbat

Op een avond in onze vaste bar ontmoet ik Kristel, een speciale vrouw. Ze heeft lang, zwart, sluik haar, zwart geschminkte ogen en draagt zwarte kleren. Ze heeft een heel speciale blik en een prachtige lach. Mijn zesde zintuig heeft het allang geregistreerd. Een heks! Nu moet je weten dat ik heksen niet associeer met griezelige, lelijke madammen met een wrat op hun neus. Neen, voor mij zijn heksen krachtige, creatieve vrouwen die weten wat ze willen en er soms ook vreemde gewoontes op nahouden. Geen katjes om zonder handschoenen aan te pakken dus, maar juist daarom des te interessanter voor mij.

Vraag me niet hoe het komt, maar nog geen half uur later zijn we in een geanimeerd gesprek over paddestoelen verwikkeld. We hebben het hier uiteraard niet over champignons of oesterzwammen, maar wel over 'paddo's', zwammetjes met een psychedelisch effect. Ik vertel haar over mijn eerste ervaring met psilo's, de bekendste inlandse variëteit.

Op een broeierige zomeravond heb ik afgesproken met Herlinde met wie ik een korte relatie gehad heb en op wie ik eigenlijk nog altijd verliefd ben. Samen met haar heb ik ooit eens een joint gerookt en we hebben toen een fijne avond beleefd. Vanavond heeft ze nog een vriendin en een vriend uitgenodigd. We zitten samen wat te babbelen en maken plannen om die avond uit te gaan. Dan kondigt onze gastvrouw met een geheimzinnige glimlach aan dat ze een verrassing voor ons heeft. Ze komt terug met een glazen potje met daarin gedroogde paddestoeltjes. 'Psilo's,' zegt ze. 'Je wordt er vrolijk en lacherig van.' Ik wil weten waar ze die zwammetjes vandaan heeft. 'Van mijn moeder,' antwoordt ze laconiek. 'Haar vriend en zij zijn echte kenners en gaan die plukken in de herfst. Vers zijn ze op hun best, maar ik weet niet of ze een klein jaar later nog enig effect hebben.'

We zijn alle vier in een opperbeste stemming en besluiten de proef op de som te nemen. We gieten alle paddestoeltjes uit op de tafel en eten er elk een stuk of zeven op. Aangezien we nog nooit psychedelische champignons gegeten hebben en geen flauw benul hebben van de dosis of van de sterkte van deze drug, nemen we een serieus risico. Onmiddellijk daarna trekken we de stad in. Het is schitterend weer. We voelen ons heel opgewekt en alles voelt heel intens aan. We gaan op een terrasje zitten en bestellen geen bier, maar frisdrank. Zo verstandig zijn we gelukkig nog wel. Dan schiet Herlinde zonder aanwijsbare reden in de lach. De rest kijkt eerst verwonderd naar haar, dan naar elkaar. We beginnen nu alle vier zomaar te lachen. En we blijven maar lachen, de ene lachbui na de andere. Tot ik met krampen in de buik naar huis snel.

Ik moet nu nog lachen als ik eraan terugdenk. Langs mijn neus weg vraag ik aan Kristel, de heks, of ze toevallig geen psilo's heeft. 'Natuurlijk,' lacht ze, 'zal ik er wat voor ons gaan halen?' Ik kijk haar ongelovig aan en krijg er wel zin in. Zowel in de paddestoelen als in haar. Zonder nog één woord tegen mij te zeggen, draait ze zich om en verdwijnt. Ik durf nauwelijks te geloven dat ze echt naar huis is gegaan om voor mij paddo's te halen. Om de tijd te doden bestel ik nog maar een Mexicaans biertje. Het thema van die avond is immers Mexico. Het hele café baadt in fel rood en groen. Overal in de bar zijn lukraak cactussen van piepschuim neergeplant. *Plus kitsch, tu meurs!* Een goed half uur later komt Kristel vrolijk binnen. Ze kijkt me onderzoekend aan alsof ze wil peilen of ik haar verhaal van daarnet geslikt heb. Dan doet ze triomfantelijk haar hand open. Tadaa! Samen met nog een paar vrienden en vriendinnen spelen we de gedroogde paddestoeltjes naar binnen.

Die avond amuseren we ons rot. Het lijkt alsof we elkaar al jaren kennen en we blijven maar lachen. Ons humeur werkt aanstekelijk. Op een bepaald moment zeg ik tegen haar dat ze eruitziet als een heks. Plots wordt ze bloedserieus en staart me aan met een ijzige blik. Dan draait ze zich heel langzaam om, rukt vliegensvlug één van de cactussen uit het decor en slaat hem op mijn hoofd aan stukken. We barsten opnieuw uit in een hysterisch lachen. Iedereen staart ons enthousiast aan. Zonder het zelf te beseffen heeft de heks op de atoomknop geduwd. De oorlogsklokken luiden en iedereen stuift uiteen op zoek naar wapens en munitie. De cactussen vliegen in het rond en – in gedachten – worden helmen doorkliefd en schedels verbrijzeld. Na het openingsgevecht hergroeperen de troepen zich in twee kampen. Even is het rustig. Stilte voor de storm. Dan barst het gevecht pas echt los. Onder luid geschreeuw chargeren beide legers. In het midden van het slagveld komt het tot een hevig treffen. Het piepschuim spat in het rond en velen moeten het tijdens de tweede charge al zonder wapentuig stellen. *Ira furor brevis.* (Latijn: Hevige woede is kort van duur.) Gelukkig maar! De puinhoop is massaal. Het volledige decor ligt aan diggelen, maar de avond is beslist geslaagd. Ik vraag me nog steeds af of die paddo's er nu voor iets tussenzaten of niet.

Wat later krijg ik van Kristel een uitnodiging voor een feestje bij haar thuis. Mijn goede vriend Max, met wie ik al mijn geheimen deel, gelooft niet in heksen, maar is uiteraard wel nieuwsgierig. Kristel woont ergens hoog op zolder. Er lijkt wel geen eind te komen aan de smalle wenteltrap die naar het feestje leidt. Een van haar vrienden doet de deur open en de wietdampen heten ons welkom. Ze kust mij hartelijk en is duidelijk blij dat ik ben langsgekomen. Om goed in de sfeer te komen blowen we een stevige joint.

Dan kom ik op het geschifte idee om op zoek te gaan naar haar bezem. Volgens Max ben ik goed gek en zou ik beter wat minder wiet smoren. Tot mijn verbazing vind ik na lang zoeken wel een dakvenster dat groot genoeg is om op te stijgen en te landen, maar geen bezem. Ik stap resoluut op Kristel af en vraag haar – alsof het de doodnormaalste zaak van de wereld is – waar ze haar bezem verstopt heeft. Ze schiet in een onbehaaglijke lach en vertrouwt me geheimzinnig toe dat niet alle heksen bezems hebben. Maar ze heeft wel iets anders dat heel belangrijk voor haar is en dat mij misschien wel kan interesseren. De heks troont me mee naar het midden van de zolder en wijst omhoog naar een van de oude eiken dwarsbalken. Wat ik daar zie, doet me bleek wegtrekken en even naar adem happen. Aan de balk net boven mij hangt een zilveren kop van een ram met scherpe tanden. Ze geniet ervan dat ik zo onder de indruk ben van dit duivelse beeld.

Dan slaat de paranoia toe. Ik voel me plots wat draaierig en mijn hart gaat als een razende te keer. Wie is die vrouw eigenlijk? Bestaan heksen nu echt? Wat doe ik hier? Wie zijn al die rare mensen op dit feestje? Is dit wel een gewoon feestje? En wat betekent die rammenkop? Ik moet hier weg. En wel nú. Een beetje paniekerig probeer ik aan Max uit te leggen dat we deze heksensabbat dringend moeten verlaten voor het te laat is. Hij staart me onbegrijpend aan met een wazige blik in zijn ogen. Verdomme! Hij is al behekst! Met veel moeite sleur ik hem mee naar buiten. Kristel kijkt geamuseerd toe en lacht zoals alleen een echte heks dat kan. In mijn haast – of zit de heks er voor iets tussen? – verlies ik mijn evenwicht op de trap en ik rol naar beneden. Gelukkig breek ik mijn nek niet en wordt mijn val gestopt door enkele verschrikt kijkende mensen die net de steile trap naar boven beklimmen.

Op straat kom ik weer een beetje op mijn positieven. Ik probeer Max nog maar eens uit te leggen wat er aan de hand was. Maar dan besef ik het absurde van de situatie en ik krijg de slappe lach. Wanneer ik omhoog kijk naar het zoldervenster, vang ik nog net een glimp op van het hoofd van de heks. Wat een rare tante, denk ik. Wat een vreemde vogel, denkt Kristel. Benieuwd hoe onze volgende ontmoeting afloopt.

Met paddo's kun je een leuke avond beleven, maar je kunt ook een angstige *bad trip* meemaken. Zo is er het verhaal van die kerel die na de consumptie van wat paddo's volledig begon te flippen. Hij dacht dat hij achtervolgd werd door een klein donker mannetje met een lange baard. Uren heeft hij angstig rondgelopen, vluchtend voor zijn hallucinatie. Niet onmiddellijk voor herhaling vatbaar...

De sterkte en de invloed van psilo's op je brein kunnen serieus verschillen en hangen af van persoon tot persoon en van situatie tot situatie. Elk jaar belanden er mensen in het ziekenhuis ten gevolge van verkeerde paddestoelen of een te grote dosis. Als je toch niet aan de roep van de zwam zou kunnen weerstaan, combineer dan zeker geen drugs (ook geen alcohol), kies voor een rustige omgeving (bijvoorbeeld natuur) en vertrouwd en ervaren gezelschap. Gebruik ook nooit als je je niet goed voelt of een psychisch probleem hebt.

XTC

- XTC (bollen, lovedrug)
  - ecstasy is een stimulerende en bewustzijnsveranderende chemische drug
  - 'liquid ecstacy' heeft niets met XTC te maken, maar is eigenlijk GHB, een vloeistof met een ietwat verschillende werking; opgelet: moeilijk te doseren en dus gevaar voor coma
- vorm: tabletten, poeders of capsules (vorm, logo of kleur zeggen niets over inhoud of effect!)
- juridisch: illegaal (geldboete en gevangenisstraf)
- gebruik: meestal slikken; de werking begint twintig tot zestig minuten na inname, na twee à drie uur volgt er een euforische piek
- effecten
  - de effecten verschillen naar gelang van het individu, de hoeveelheid en de frequentie, de plaats en het moment van gebruik
  - gevoelens van blijdschap, ontspanning, zorgeloosheid, zelfvertrouwen en openheid, meer verbondenheid en intimiteit met omgeving, verandering van ruimte/tijd
  - meer energie, minder honger en vermoeidheid, drang om te bewegen
- risico's
  - aangezien XTC in illegale laboratoria geproduceerd wordt, kunnen de zuiverheid en de actieve stof in de pil enorm verschillen, daarom blijft XTC altijd riskant
  - oververhitting (regelmatig rusten en water drinken!),

droge mond, hoofdpijn, misselijkheid, braken, hartkloppingen, stuipen (overdosis)
  - aanleiding tot onveilig seksueel gedrag ('lovedrug')
  - bij zwangerschap en borstvoeding: ernstige risico's voor moeder en kind
  - in het verkeer zijn gebruikers een risico voor zichzelf en de omgeving
  - combineren met alcohol verhoogt het risico op oververhitting, met speed of cocaïne neemt de kans op een overdosis toe, met antidepressiva stijgt de bloeddruk nog meer, in combinatie met Viagra ('sextacy') is het zéér belastend voor het hart
- langetermijneffecten
  - risico's zijn nog niet goed gekend; kan aanleiding geven tot depressie, paranoïde gedachten en slapeloosheid; mogelijk lever- en nierbeschadiging
  - problemen met omgeving (thuis, school, werk) en justitie
- afhankelijkheid
  - geen lichamelijke afhankelijkheid, maar psychische afhankelijkheid komt wel voor, namelijk in de vorm van het idee dat je drugs nodig hebt om goed te kunnen uitgaan
- nog vragen?
  - www.druglijn.be of 078/15.10.20 (anoniem)

Bron: *Drugs etc.* (VAD)

Jungle party

Pierre, een vriend van mij, organiseert zijn zoveelste *rave party*. Een exclusief dansfeest waarvan je enkel afweet, als je de juiste plaatsen en de juiste mensen frequenteert. Deze keer heeft hij zijn oog laten vallen op een leegstaande fabriekshal ergens in het Gentse havengebied. En hem kennende zal het wel weer in orde zijn. Stevige dance en trance door de beste dj's, een extravagant decor, knappe vrouwen en een uitzinnig volkje garanderen een onvergetelijke nacht. Na enig zoekwerk hebben we de *place to be* gevonden. Wanneer we om een uur of één aankomen, zit de sfeer er al flink in. Ik bestel een whisky-cola en bewonder van op een klein verhoog samen met een paar vrienden de dansende nimfen. Omdat het thema jungle is, heeft Pierre een groep Afrikaanse djembéspelers uitgenodigd. Zij improviseren vrij en de ritmes van hun trommels versmelten met de elektronische beats die door de speakers knallen. Magisch! Plots duwt Karel iets in mijn hand. Ik doe mijn hand open en bekijk verwonderd een witgeel pilletje met een breeklijntje in het midden. 'Is dit nu XTC?' vraag ik. Hij sluit mijn hand en knikt bevestigend. Ik heb wel al eens gehoord van deze partydrug, maar weet verder weinig of niets af van de effecten, laat staan van de mogelijke gevaren. Zonder er verder bij na te denken spoel ik het pilletje met een stevige slok whisky-cola door. Karel doet hetzelfde met zijn gin-tonic. Dit blijkt niet zo'n verstandig idee.

Na een half uurtje begint de muziek anders te klinken. Het geluid van de Afrikaanse trommels vervormt en is plotseling veel luider dan daarnet. Alles wordt veel intenser en lijkt op mij af te stormen. Om het droge gevoel in mijn mond te bestrijden bestel ik nog maar een cocktail. Dan verlies ik ineens de controle over mijn oogspieren. In plaats van een doorlopende film van heldere beelden registreren mijn oogzenuwen enkel wazige fotobeelden die zich opeenstapelen. Ik besef dat er iets fout loopt en wil Karel alarmeren. Hij staat echter niet meer op het podium. Paniek! In het wilde weg loop ik door de dansende massa. Als bij wonder vind ik hem terug. Ik sleur hem richting uitgang. Wanneer ik hem uitleg wat er met mij aan de hand is, trekt hij bleek weg. De angst slaat hem om het hart. Deze pil is niet in orde! We moeten hier allebei zo snel mogelijk weg voor het nog erger wordt, schreeuwt hij. Gelukkig loopt er op dit feestje ook een vriend rond met een hoog Bobgehalte. Terwijl Karel onze chauffeur gaat zoeken, probeer ik zo snel mogelijk buiten te geraken. Om een of andere reden houdt de uitsmijter mij tegen. Zijn mond beweegt, maar zijn stem klinkt zodanig vervormd dat ik niet versta wat hij zegt. Na een tijdje dringt het tot hem door dat er iets aan de hand is met mij. Hij neemt het glas uit mijn handen – dát was het dus – en duwt me naar buiten. De frisse lucht en de gedempte decibels doen deugd. Mijn blik concentreren op één voorwerp lukt nog steeds niet. Een paar minuten later rijdt onze Bob voor. Schitterende kerel! Wanneer ik naast hem op de passagiersplaats ga zitten, vraagt hij aan welke drugs we nu weer zitten. Of we nu nog niet weten dat chemische drugs levensgevaarlijk zijn? En dat hij geen zin heeft om ons de volgende keer naar de spoedafdeling van het UZ te voeren. Karel installeert zich languit op de achterbank. En nu als de bliksem naar huis!

Als een razende leeuw gooit onze Bob zich in het drukke stadsverkeer. Van alle kanten komen auto's aangevlogen en een paar keer ontwijken we nauwelijks een tegenligger. We schreeuwen onze doodsangst uit en manen Bob aan om wat rustiger te rijden. Zit hij ook onder de pillen misschien? Bob barst weer in lachen uit en wijst op zijn snelheidsmeter. Veertig kilometer per uur... We zijn dus gewoon aan het flippen. Om ons een plezier te doen rijdt hij in een slakkengangetje naar mijn kot. Daar komt er een diepe rust over mij. Ik voel me zalig, wel een beetje zweverig, maar zalig. De poëzie borrelt in mij op en een muze fluistert mij zoetgevooisde woorden in het oor. Gedurende meer dan een uur declameer ik gedichten in verschillende talen. Spijtig genoeg is er niemand meer om ze op te schrijven.

Gelukkig is onze trip goed afgelopen. Het had ook anders gekund. XTC-pillen kunnen naast MDMA* (of MDA/MDEA) ook speed of andere gevaarlijke chemische bestanddelen bevatten. Ook de sterkte kan erg verschillen van pil tot pil. Je loopt dus altijd risico op een overdosis.

Kijk zeker uit met 'vloeibare XTC'. Dit heeft eigenlijk niets te maken met XTC. GHB* is een 'drinkbare', maar afschuwelijk smakende drug die nogal moeilijk te doseren is. Er zijn al verschillende jongeren gestorven ten gevolge van een overdosis van een van deze chemische laboratoriumdrugs. Het ergste van de zaak is dat wanneer het écht fout gaat, mensen soms zoveel schrik hebben om hulp in te roepen dat ze het ongelukkige slachtoffer gewoon buiten laten liggen in de hoop dat iemand het zal vinden. De minuten tikken langzaam weg en soms komt alle hulp te laat... (zie ook 'Romantisch avondje op de spoed')

* Zie woordenlijst achteraan dit boek.

Speed

- speed (pep, rappe, crystal, dope): populair woord voor amfetamines of chemische stimulerende middelen
- vorm: meestal wit poeder of tabletten
- juridisch: illegaal (geldboete en gevangenisstraf)
- gebruik: snuiven, spuiten, slikken (soms roken); de werking is snel en duurt vier à acht uur
- effecten
    - de effecten verschillen naar gelang van het individu, de hoeveelheid en de frequentie, de plaats en het moment van gebruik
    - onderdrukt vermoeidheid, honger en slaap en maakt energie(reserves) vrij
    - hartslag en bloeddruk stijgen
    - euforie, groter zelfvertrouwen, meer concentratie en minder zelfkritiek
    - babbelzucht, overbeweeglijkheid en tijdelijke toename van seksuele prestaties
- risico's
    - oververhitting en uitdroging (regelmatig rusten en water drinken!)
    - aangezien deze chemische drug in illegale labs geproduceerd wordt, verschillen samenstelling en kwaliteit enorm; gevaar voor overdosis
    - hoge dosissen maken onrustig, agressief, overmoedig of neerslachtig
    - hoge bloeddruk veroorzaakt hoofdpijn, hartkloppingen, hyperventilatie...

  - spuiten kan ontstekingen of besmettingen (hepatitis, aids) veroorzaken
  - na uitwerking van de drug: moeheid, honger, lusteloosheid, neerslachtigheid
  - bij zwangerschap en borstvoeding: ernstige risico's voor moeder en kind
  - in het verkeer zijn gebruikers een risico voor zichzelf en de omgeving
  - combineren met kalmeermiddelen en pijnstillers of met alcohol geeft verhoogde risico's en doet prikkelbaarheid en agressiviteit toenemen
- langetermijneffecten
  - slechte gezondheid: verminderde weerstand tegen ziektes door verminderde eetlust en slaaptekort, hart- en vaatziekten, puisten, neusbloedingen en tics
  - sociale problemen: rusteloos, prikkelbaar, wantrouwig, impulsief en agressief gedrag dat kan leiden tot problemen met omgeving (thuis, school, werk) en justitie
- afhankelijkheid
  - speed is niet lichamelijk verslavend, maar de psychische afhankelijkheid is groot
- nog vragen?
  - www.druglijn.be of 078/15.10.20 (anoniem)

Bron: *Drugs etc.* (VAD)

All you need is love

XTC. Aangezien mijn eerste ervaring met deze pilletjes met een sisser is afgelopen, heb ik beslist dat dit geen drug is voor mij. Op een avond ontmoet ik echter Lynda. Een beetje magere, praatzieke en hyperactieve vrouw die steevast een lolly om haar hals heeft hangen. Op dat moment weet ik niet dat dit symptomen zijn van iemand met een speedverslaving. Opgewonden beschrijft ze in geuren en kleuren haar fantastische ervaringen met XTC. Ze kent een privé-club ergens in de buurt van Kortrijk waar bijna iedereen aan de pillen zit en de sfeer is er 'wreed goe'. Haar lief kent bovendien de juiste mensen en kan zonder enig probleem een buitengewoon avondje voor ons verzorgen. Of we niet meekomen volgend weekend. Ik leg haar uit dat ik die chemische troep niet zie zitten, want dat ik vorige keer in een *bad trip* ben beland. Volgens haar ligt dat aan de combinatie met alcohol – ik had het pilletje inderdaad met een paar whisky-cola's doorgespoeld – en aan de slechte kwaliteit van de pil. Maar de kennis van haar lief levert altijd topkwaliteit. Daarover hoef ik me dus geen zorgen te maken. Maar uiteindelijk blijft het wel altijd een beetje Russische roulette, want helemaal zeker over de kwaliteit ben je immers nooit. Eén foute pil kan je avond serieus verpesten en het zou niet de eerste keer zijn dat er iemand in het ziekenhuis belandt met een overdosis. Lynda is echter zo enthousiast dat ze ons weet te overtuigen. We trommelen nog een paar nieuwsgierige vrienden op en twee weken later is het zover.

Omdat de sfeer in de dancing maar om vier, vijf uur 's morgens zijn hoogtepunt bereikt, besluit ik eerst wat te gaan maffen. Om een uur of drie sta ik op. Mijn lijf doodmoe, maar mijn geest klaarwakker van de spanning. We nemen de snelweg richting party. Om de tijd wat te doden en alvast in de stemming te komen steekt Gerard, een vriend van Lynda, een jointje op. De bassen van de house bonken door de zware *woofers*. Alles is perfect, tot plotseling. Godverdomme... De rijkswacht heeft de snelweg afgesloten. Er is geen ontsnappen meer aan. Gerard neemt nauwelijks de tijd om zijn joint uit te doen en eet hem gewoon op. 't Is weer eens iets anders dan spacecake, zal hij gedacht hebben. Uit de auto voor ons vliegt van alles door de ramen naar buiten. Geen goed idee blijkt, want uw vriend de rijkswacht waakt. De auto moet onmiddellijk aan de kant. Ik vrees dat de inzittenden de nacht in de combi mogen doorbrengen. Onze bestuurder houdt het hoofd ijzig koel. Raampjes open, pilletjes ongemerkt in de kous en de autoradio van een boem-keboem-boem-keboem-zender naar Klara, uw cultuurzender. Een wereld van verschil. De zachte pianotonen die door het halfopen raampje de trommelvliezen van de man met de kepie strelen, brengen hem in een lichte trance en we mogen zonder controle door. Oef! We switchen weer naar boem-keboem-boem-keboem. Helemaal opgelucht ben ik toch niet. Die hele toestand zet me aan het denken. Nu ben ik wel écht met iets illegaals bezig. Duidelijk niet iets voor elk weekend!

Een kwartiertje voordat we bij de privé-club aankomen, slikken we ieder ons pilletje. Aan de ingang moet iedereen zijn identiteitskaart tonen. Ik vind het geen leuke gedachte dat mijn naam hier ergens genoteerd staat, maar de kans op razzia's is in een privé-club een pak kleiner dan in een gewone dancing.

Die pseudo-zekerheid maakt veel goed. De sfeer zit er al stevig in en bijna iedereen staat te shaken. Dan stopt Lynda een papiertje in mijn handen. Speed! Ga dat maar opsnuiven in de toiletten, dan ga je nog meer kunnen genieten van je pilletje, schreeuwt ze in mijn oor. Waarom niet, denk ik. Vanavond ga ik *all the way*! Korte tijd later voel ik me als een kernbom, barstend van energie en zelfvertrouwen. Mijn kaakspieren staan superstrak en ik begin ongecontroleerd te knarsetanden. Een vervelend bijverschijnsel van de speed. Ik vlieg de dansvloer op, versmelt met de muziek en vergeet ruimte en tijd. De muziek is fantastisch, de vrouwen zijn adembenemend, iedereen is mooi en lief. *We are one! One big happy family!* Een gevoel van eenheid, samenzijn, liefde, schoonheid, extase, XTC. Niet te verwonderen dat mensen die weinig vrienden hebben of die een beetje verlegen zijn snel aan een dergelijk gevoel verslaafd raken en dit elk weekend opnieuw willen beleven. Uitgaan zonder een pilletje wordt snel saai en minder leuk.

Dan duikt een van mijn vrienden op die ik al een uur uit het oog verloren was. Hij heeft zijn pilletje iets te opvallend geslikt en is gesnapt door de buitensmijter. Het heeft weinig gescheeld of hij mocht niet meer binnen. Na een grondige fouillering mag hij dan gelukkig toch blijven. Leuk is anders! Maar de XTC mist ondertussen zijn uitwerking niet en we gaan weer dansen. Ik zweet mij te pletter en ik drink veel sportdrinks en vruchtensap om niet uit te drogen. Ik wil vanavond immers niet in het ziekenhuis belanden! En geen druppel alcohol deze keer. Ze gaan mij geen twee keer liggen hebben! Na een paar uur krijg ik een dipje. Nog een half pilletje, een klein lijntje speed en we kunnen er weer tegenaan. Een beetje decadent vind ik het zelf wel. In het toilet ontdek ik dat mijn jongeheer zowat verdwenen is. XTC, een lovedrug? Niet voor mij. Of ligt het aan de speed? In de spiegel merk ik dat mijn pupillen zo groot als schoteltjes zijn. Nu begrijp ik waarom hier mensen in het halfduister met een zonnebril op lopen! Vervelend vind ik dat nu iedereen kan zien dat ik aan de pillen zit. Nu zit ik méér dan diep genoeg in het drugbos. Tijd om langzaam terug te keren. Gerard komt net enthousiast terug van buiten. Als een razende tornado begint hij een verward verhaal te vertellen terwijl hij van het ene been op het andere staat te springen. Het enige wat ik uiteindelijk snap is dat ik eens mee moet komen naar buiten. Nieuwsgierig volg ik hem. Het is ondertussen al een uur of negen. De vogeltjes fluiten en het oogverblindende zonlicht doet me opnieuw naar een zonnebril verlangen. Mijn oren gonzen nog na van de bassen. Na tien minuutjes rust duik ik opnieuw die andere wereld binnen. Loeiharde muziek, dreunende bassen, flitsende stroboscopen, warme, vochtige lucht en een massa freakende partytijgers op XTC en weet ik veel wat nog allemaal. Mijn nieuwe pil slaat aan en mijn hart gaat open. Aan de bar begin ik een vlotte babbel met een meisje dat er leuk uitziet. Haar ogen staan even wijd als die van mij en dat schept een band. We zitten precies op dezelfde golflengte. *Love is in the air.* Het blijkt een Française die België het einde vindt. Ja, dat zal wel met al die drugs! Ik vind haar ook wel het einde en doe mijn uiterste best om niet te vergeten dat mijn vaste vriendin thuis ligt te slapen. Al bij al ben ik nog blij dat die drugs een nefaste invloed hebben op mijn libido. Onder invloed van XTC zou je nog dingen doen waarvan je achteraf écht spijt hebt. Trouwens, met zo'n pilletje zou je op het even wie verliefd kunnen worden. Wanneer de pil is uitgewerkt, is de betovering meestal wel verbroken.

Om een uur of twaalf 's middags houden we het voor bekeken. De club draait nog op volle toeren, maar de rush is nu wel over. Het is een prachtige, zonovergoten dag. Geheel op ons gemak cruisen we naar huis. Wat zachte klassieke muziek, een frisse bries door het open dakraam, het zonnetje op onze bleke huid... Het leven kan zalig zijn! Terug in Gent genieten we van een heerlijk ontbijt in een brasserie. De vermoeidheid begint nu wel zijn tol te eisen en we worden verschrikkelijk lui. De rest van de dag hangen we wat rond in de stad en doen we een terrasje. Mijn lichaam is doodmoe, maar ik kan die nacht maar niet in slaap komen. Mijn hart klopt sneller dan normaal en mijn dag- en nachtritme is stevig door elkaar geschud. En ik moet morgen de hele dag werken, verdorie! Uiteindelijk moet ik een joint roken om weer wat tot rust te komen. Daar heb ik echt geen goed gevoel bij en ik begin me een beetje depri te voelen. Heimwee naar het feest dat voorbij is. Ik heb absoluut geen zin om morgen te gaan werken. Even speel ik zelfs met de gedachte dat ik morgenvroeg met een lijntje speed zo uit mijn bed zou springen. En dat na een keer of twee snuiven... Straf spul, zeg!

Al bij al ben ik tevreden dat ik een wilde nacht heb beleefd, maar beslis dat het speedexperiment bij dezen definitief is afgesloten. Te veel chemische troep in mijn hersenpan kan gewoon niet gezond zijn. Een paar weken later lees ik in de krant over een paar jonge gasten die zijn afgevoerd naar het ziekenhuis ten gevolge van een overdosis of oververhitting. Echt *creepy*!

Lynda en Gerard, onze nieuwe vrienden, vragen enthousiast of we volgend weekend weer meegaan naar de club. Ze kunnen amper wachten tot het zover is. De verleiding is natuurlijk groot, maar ik bedank voor het aanbod. Als je elke week aan de pillen zit, dan put je immers de natuurlijke reserves van je lichaam en geest uit. Dat voel ik al na één drugnacht. Bovendien riskeer je snel gewend te raken aan die heerlijke '*love and peace*'-roes van XTC. Een paar weken later heeft er een razzia plaats in de club. Lynda en Gerard zijn gelukkig niet aanwezig, maar de man van wie ze de pillen kochten, krijgt ook thuis een bezoekje. Politie met zwaailichten voor de deur. Het huis van zolder tot kelder grondig doorzocht. Wat een rommel laten die mannen achter! Zelfs het isolatiemateriaal van het dak moet eraan geloven. De bikkelharde realiteit staat soms in schril contrast met het kunstmatige wereldje van XTC.

Franky, een andere vriend, zwoer bij natuurlijke drugs. Enkel joints en af en toe wat paddestoelen in combinatie met vitaminesupplementen. Puur natuur en het stimuleert de creativiteit van de aanstormende kunstenaar. Dat kan toch niet slecht zijn? Op een goeie dag bood zijn dealer hem speed aan. Franky weigerde resoluut, want chemische drugs zijn rommel, vond hij. Maar eens proberen kon toch geen kwaad? Franky stond versteld van het effect. Wat een energiestoot! Dit spul is wel wat anders dan die softe drugs die hij tot nu toe nam. Hij vond het effect van uitgaan op speed zo lekker dat hij algauw elk weekend begon te gebruiken. Dan van donderdagavond tot maandagochtend en ten slotte bijna elke dag. Op een bepaald ogenblik sliep hij dagen aan een stuk niet meer en hing hij 's nachts rond in leegstaande panden. 's Ochtends deed hij wat speed in zijn koffie voordat hij naar de les ging. Daar produceerde hij gigantische hoeveelheden tekeningen die echter kwalitatief zwaar onder de norm zaten. Na een paar maanden kon hij zich op geen enkel ogenblik meer ontspannen. Hij kreeg steeds meer ruzie met zijn vrienden en kon soms erg agressief uit de hoek komen. Hij kon alleen nog slapen met verschillende slaappillen. Het heeft hem uiteindelijk verschrikkelijk veel moeite gekost om ermee te stoppen.

Het bewijs dat je high kunt worden zonder drank of drugs heb ik later twee keer aan den lijve kunnen ondervinden. Op een nacht sta ik te shaken in een bekende dancing in het Brusselse. Ik ben helemaal clean, want die avond speel ik Bob. Zelfs geen pintje kan eraf. Vanavond ben ik de nuchterheid zelve. Op de benedenverdieping knalt koude, loeiharde techno uit de boxen. Snel vlucht ik naar boven waar er zalige trance gedraaid wordt. Op de muur worden kleurrijke, geflipte beelden geprojecteerd. Ik sluit mijn ogen terwijl ik dans. Plots zweef ik boven een bloemenweide, vol prachtige rode klaprozen. Wanneer ik mijn ogen opendoe, blijft dit zalige gevoel voortduren. Een andere keer ben ik met mijn vriendin op 'I love techno' voor het optreden van Underworld. Ze draaien de ene hit na de andere en de volledige zaal staat op en neer te springen. Overal zwaailichten, stroboscopen, felle kleuren en een '*we are one*'-gevoel waarvan ik nu nog kippenvel krijg. Aan die paar pintjes zal het niet gelegen hebben, maar misschien zorgen die avond de sfeer en het non-stop dansen ervoor dat ik me na een tijdje '*on a natural high*' voel. Zálig! *Peace and love.* Ja, dat kan dus duidelijk ook zonder pillen!

Houd je van stevige kicks? Hier volgt mijn lijstje van sterke ervaringen die ik *zonder drugs* beleefde:
- elastiekspringen: na de sprong liep ik een halve dag high rond;
- parachutespringen: de absolute vrijheid die je voelt terwijl je de eerste keer vrij valt, is nergens mee te vergelijken;
- rotsklimmen: de kick als je uiteindelijk boven op de top staat;
- speedrafting: de spanning van de kolkende stroomversnellingen;
- speleologie: de absolute stilte en duisternis;

- diepzeeduiken: sluit je ogen en je vliegt écht; na het duiken voel je een zalig zachte roes;
- snowboarden: een onbeschrijflijk gevoel van vrijheid, zeker als je jumpt;
- karate: na een stevige training kreeg ik hetzelfde gevoel als na een lijn coke;
- djembé spelen: zalige manier om je eens goed af te reageren en als je maar lang genoeg blijft doorgaan, kun je ook in 'trance' gaan;
- surfen: eenheid met je board en de zee;
- zweefvliegen: *flying high in the sky*;
- parapente: stevige kriebels in je buik wanneer je een paar 360° doet.

Waarom chemische drugs gevaarlijk zijn

1. De kwaliteit (samenstelling, sterkte...) is zeer onbetrouwbaar. Bijgevolg is de kans op een foute dosis groot. Een beetje pech en je avond is om zeep of je belandt zelfs in het ziekenhuis.

2. Zelfs indien de kwaliteit goed is, weet je nooit op voorhand hoe je lichaam zal reageren. Het is een beetje zoals een medicament met mogelijke bijwerkingen. Normaal gezien geeft een geneesmiddel een goed effect, maar je kunt nooit op voorhand weten hoe je lichaam zal reageren. De (gevaarlijke) bijwerkingen en gezondheidsrisico's vind je terug in de 'bijsluiter' per drug.

3. Is je drug kwalitatief oké en reageert je lichaam goed, dan is het goed mogelijk dat je het effect zo leuk vindt dat je steeds opnieuw wilt gebruiken. Eerst bijvoorbeeld alleen een beetje op zaterdagavond als je uitgaat, daarna meer en meer. Ook tijdens de week en overdag. Na een tijdje – en dat kan soms snel gaan – voel je je niet meer goed zonder. Op dat ogenblik ben je 'ver-slaafd'.

4. Je moet ook beseffen dat, als je deze drugs consumeert, je meewerkt aan een pervers systeem. De drughandel is immers in handen van de maffia. Hij gaat hand in hand met witwaspraktijken, vrouwenhandel, mensensmokkel, kindermisbruik, afpersing, uitbuiting, geweld, moord. Wil je hieraan écht meewerken?

Dat we het hier alleen over chemische drugs hebben, betekent uiteraard niet dat 'natuurlijke drugs' (bijvoorbeeld cannabis of paddo's) geen gevaren inhouden! Zie elders in dit boek.

De Melkweg

We zijn op bezoek bij Leo en Noortje, onze vrienden in Nederland. Vanavond treedt Arno op in de Melkweg, een concertzaal in hartje Amsterdam. Tot mijn grote verbazing kun je daar die avond, naast allerlei andere ecodrugs, ook paddothee kopen. Wie niet beter weet, zou deze psychoactieve paddestoelenthee wel eens kunnen verwarren met een onschuldig kruidendrankje. Na het beestig goede optreden van Arno is er een party in de zaal ernaast. Noortje, die weet dat wij geen afkeer hebben van drugs, heeft voor de gelegenheid voor XTC-pilletjes gezorgd. Ze verzekert ons dat de kwaliteit in orde is, want ze heeft er zelf al eentje voor ons geprobeerd. Hoe vriendelijk van haar! Mijn vriendin Suzie is ook wel heel nieuwsgierig naar het effect. Ik bijt het pilletje in tweeën en geef haar de helft. Zelf ben ik in opperbeste stemming, maar het echte '*peace and love*'-effect blijft deze keer uit. Suzie is in topvorm. Ze danst haar ziel uit haar lijf en schreeuwt tegen mij dat ze het gevoel heeft dat ze een TGV is. Ze is blij tot opeens...

Ze stopt met dansen en klaagt over hartkloppingen. Een beetje frisse lucht en wat kalmte zullen haar wel goed doen, denk ik. We haasten ons naar de uitgang. Plots kan ze niet meer stappen en ik moet haar ondersteunen. In de hal gaat ze op de grond zitten. Ze ziet bleek, kan haar ogen niet meer focussen en vreest dat ze gaat flauwvallen. Gelukkig gebeurt dit niet. Ze is doodsbang en haar hart gaat als een razende tekeer. Ik houd het hoofd koel, haal een glas vruchtensap (vitamine C!) en een lolly en probeer haar te kalmeren. Enkele mensen komen bezorgd kijken. Een behoorlijk vervelende situatie. Na een kwartiertje voelt ze zich weer in staat om op te staan. We besluiten een eindje te gaan wandelen. Arm in arm stappen we door de koude nacht. Langzaam komt Suzie weer een beetje tot rust. Dit is voor haar duidelijk de eerste én de laatste keer dat ze deze drug slikt. Ik houd het nu ook wel voor bekeken. XTC kán je een onvergetelijke nacht bezorgen, maar draagt net als elke drug ook risico's in zich. Je hebt zo goed als geen enkele controle over wat er echt in de pil zit. Net als bij mijn vriendin kan het gebeuren dat je lichaam op hol slaat, zelfs met een pil van 'goede' kwaliteit. Over de langetermijneffecten tast men nog in het duister. In ieder geval geldt ook hier de regel: hoe meer, hoe gevaarlijker!

Heroïne

- Heroïne (H, hero, horse, bruine, smack): verdovend middel
- vorm
  - o zuivere heroïne: wit kristalpoeder, ruikt naar azijn en smaakt bitter (bijna niet te koop)
  - o versneden (straat)heroïne: grijs, beige of geelbruin grof poeder, oplosbaar in water met citroensap
- juridisch: illegaal (geldboete en gevangenisstraf)
- gebruik
  - o roken (met tabak), inhaleren (chinezen) of inspuiten; roes duurt vier tot zes uur
- effecten
  - o de effecten verschillen naar gelang van het individu, de hoeveelheid en de frequentie, de plaats en het moment van gebruik
  - o eerst een euforische flash van enkele seconden, dan een roes van welbehagen en onverschilligheid
  - o *een ex-verslaafde vertelde me dat je al na een paar keer spuiten geen euforische flash meer krijgt, maar toch blijft gebruiken om de steeds weerkerende, afschuwelijke afkick-verschijnselen te onderdrukken*
- risico's
  - o je kunt nooit zeker zijn van kwaliteit en samenstelling
  - o kans op overdosis, verhoogd risico op ongevallen; spuiten kan leiden tot ontstekingen of besmettingen (bijvoorbeeld hepatitis of aids)
  - o bij zwangerschap en borstvoeding: ernstige risico's voor moeder en kind

  - in het verkeer zijn gebruikers een enorm risico voor zichzelf en de omgeving
  - combineren met medicijnen, alcohol en andere drugs is sterk af te raden
- langetermijneffecten
  - verminderde weerstand tegen infecties, darmproblemen, littekens
  - sociaal isolement, financiële problemen en juridische vervolging
- afhankelijkheid
  - heroïne is een van de meest verslavende drugs die we kennen
  - de tolerantie (behoefte aan steeds grotere dosissen) is groot (ook als je heroïne rookt), met zware lichamelijke en psychische afhankelijkheid tot gevolg; zonder medicatie afkicken is zeer moeilijk door de heftige ontwenningsverschijnselen
  - methadon: legaal vervangmiddel voor heroïnegebruikers
- nog vragen?
  - www.druglijn.be of 078/15.10.20 (anoniem)

Bron: *Drugs etc.* (VAD)

Langwit op de buik

The Doors, de film van Oliver Stone(d?) over de legendarische rockgroep uit de hippieperiode, is net uit. Om in de juiste stemming te komen voor we naar de cinema gaan, smoren we eerst een dikke joint. Ik ben zo stoned dat ik aan mijn goede vriend Max moet vragen om de tickets te kopen. Dat lukt hem zonder al te veel problemen. Als je binnenkomt in deze bioscoop, zie je normaal een lange gang met links en rechts de filmzalen. Normaal, zeg ik, want mijn werkelijkheid ziet er op dat ogenblik lichtjes anders uit. De lange gang is plots heel kort geworden en strekt zich nu uit in de breedte. Ik voel me onzeker. Max voelt zich high, maar wel in orde. Hij neemt me mee naar het midden van de gang. Dan wil hij nog snel even naar het toilet. Ik smeek hem niet te lang weg te blijven. Nu sta ik helemaal alleen in de gang. Massa's mensen lopen langs mij heen en ik durf geen vin verroeren uit angst dat er nog meer vreemde dingen gebeuren. Ik hoop maar dat ik niemand tegenkom die ik ken. Wat zouden ze wel denken? Net als in een droom realiseren mijn angsten zich op het ogenblik dat ik eraan denk. Help! Er komt iemand aangewandeld die ik ken. De schrik slaat me om het hart. In plaats van me om te draaien of weg te kijken, kan ik het niet nalaten om zijn blik te zoeken. 'Hallo,' zegt hij, 'hoe gaat het?' Ik heb er geen flauw benul van wie het is, maar klaarblijkelijk kennen we elkaar. Ik antwoord stomweg dat ik zo stoned ben als een garnaal, maar dat alles wel in orde komt. Hij kijkt me onderzoekend aan. Gelukkig wil zijn vriendin snel verder. Ze gaan op in de massa. Verdomme! Misschien was dat wel iemand van mijn werk of, erger nog, één van mijn klanten. Wat een idee om mij zo onder vreemde mensen te mengen. Gelukkig zie ik Max terugkomen. Ik klamp hem vast en sleur hem voort. Zo snel mogelijk de veilige duisternis van de filmzaal in.

Omdat de film pas uit is en we zo lang getreuzeld hebben in de gang, zit de zaal barstensvol. Noodgedwongen installeren we ons op de eerste rij. We bescheuren het bijna van het lachen bij de reclamefilmpjes. Nooit geweten dat die zo grappig waren. De mensen rondom ons missen blijkbaar de clou. Dan volgt het *moment suprême*. De film opent met een prachtig gedicht van Jim Morrison, dichter en zanger van de groep. Vervolgens krijg je schitterende beelden van een woestijnlandschap, gefilmd vanuit een vliegtuig. Ik ga zo op in de film dat ik, wanneer de camera rakelings over een ravijn glijdt, pardoes uit mijn stoel val. Languit op mijn buik. Onthutst krabbel ik overeind en nestel mij weer in mijn veilige stoel in de hoop dat niemand mijn capriolen heeft opgemerkt.

De film vertelt het levensverhaal Jim Morrison, die zich onder het motto '*live fast, die young*' te buiten gaat aan seks, drugs en rock-'n-roll. Een interessante film voor wie ook benieuwd is naar wat er zich achter die '*doors (of perception)*' bevindt. Jim Morrison wil steeds zijn grenzen verleggen en experimenteert eerst met peyote (psychoactieve cactus) en LSD. Het enorme succes van zijn groep doet de relatie met zijn vriendin op de klippen lopen. Hij zet het op een zuipen en komt, net als veel andere rockartiesten, in contact met cocaïne. Vanaf dan gaat het serieus bergaf. Zijn vrienden proberen hem uit te leggen dat het fout loopt, maar hij heeft er geen oren naar. Uiteindelijk denkt hij zijn problemen te kunnen vergeten door heroïne te gebruiken. Dit wordt hem fataal. Hij is pas 27.

Cocaïne en crack

- Cocaïne (coke, witte, C, sossa): stimulerend middel
- Crack (free base): zeer sterke drug op basis van cocaïne, maagzout of ammoniak en water
- vorm: (geel)wit fijn poeder (cocaïne), beige kristallen (crack)
- juridisch: illegaal (geldboete en gevangenisstraf)
- gebruik
  - o cocaïne: snuiven, snel voelbaar en het effect duurt 30 à 45 minuten, of spuiten, stevige werking duurt ongeveer een kwartier.
  - o crack: roken; onmiddellijke werking gedurende vijf à tien minuten
- effecten
  - o de effecten verschillen naar gelang van het individu, de hoeveelheid en de frequentie, de plaats en het moment van gebruik
  - o cocaïne: lichamelijk en psychisch oppeppend effect, helder, alert, actief, spraakzaam
  - o crack: korte, extreme flash van fysiek welbehagen
- risico's
  - o aangezien deze chemische drugs in illegale labs geproduceerd worden, weten gebruikers niet precies wat ze in handen krijgen, mogelijk is de drug versneden met andere stoffen
  - o uitputting, verminderde weerstand tegen infecties, neerslachtigheid, arrogant en agressief gedrag
  - o hoge lichaamstemperatuur, hartkloppingen, ademhalingsproblemen, bloeddrukproblemen, flauwvallen (overdosis)

- crack op basis van ammoniak kan de slokdarm verbranden
- spuiten kan ontstekingen of besmettingen (hepatitis, aids) veroorzaken, ook rietjes delen kan voor besmetting zorgen (door bloedneus)
- bij zwangerschap en borstvoeding: ernstige risico's voor moeder en kind
- in het verkeer zijn gebruikers een risico voor zichzelf en de omgeving
- combineren met alcohol of andere drugs kan erg gevaarlijk zijn voor hart- en bloedvaten en de psychische gezondheid

- langetermijneffecten
  - hart- en vaatziekten, huidproblemen, problemen met de neus (snuiven) of met lippen en longen (roken)
  - kan leiden tot slapeloosheid, verminderde eetlust, paranoia (achtervolgingswaan), depressie, zelfmoordgedachten
  - problemen met omgeving (thuis, school, werk) en justitie
  - cocaïne is duur en kan tot financiële problemen leiden
- afhankelijkheid
  - grote psychische afhankelijkheid, met agressie en verlies aan zelfvertrouwen bij stoppen
  - crack leidt ook snel tot lichamelijke afhankelijkheid (steeds meer nodig om effect te voelen)
- nog vragen?
  - www.druglijn.be of 078/15.10.20 (anoniem)

Bron: *Drugs etc.* (VAD)

La nuit du mauvais goût

Het is één mei. Het zonnetje schijnt en het belooft een schitterende dag te worden. Ondanks dit verleidelijke weer ben ik vastbesloten om te beginnen blokken. Ruim op tijd, maar ik heb het liever zo dan alles rap, rap op het einde. Ik háát die last minute stress. Mijn cursussen liggen nog niet eens mooi op een stapeltje of er wordt gebeld. Door het open raam hoor ik Koen enthousiast brullen of ik niet meega naar een wild feest in de Ardennen. Ons stamcafé waar we een paar keer per week uitgaan, zal binnenkort afgebroken worden. Daarom heeft de eigenaar een 'bescheiden' afscheidsfeestje gepland. Dit mogen we niet missen. De Ardennen? Maar ik ben aan het studeren! Breng me alsjeblief niet in de verleiding en maak dat je wegkomt, probeer ik. Wanneer ik uiteindelijk besluit om hem 'heel eventjes' binnen te laten, voel ik me als een schaap dat net de wolf heeft binnengelaten. Eigenlijk is het nog veel te vroeg om te beginnen studeren en bovendien is het schitterend zomerweer, argumenteert Koen. Het leven is toch bedoeld om ervan te genieten? Hij ziet dat ik begin te wankelen en zet genadeloos het zware geschut in. Het is een verkleed feest in een kasteel met massa's knappe vrouwen en... misschien kunnen we daar wel aan coke geraken. Uppercut! Ik ga met plezier door de knieën.

Het thema van het feest is 'slechte smaak'. Omdat we als volleerde yuppies enkel klassenkleding in onze garderobe hebben, gaan we shoppen in de Turkse wijk. Daar vinden we voor weinig geld afschuwelijke seventieskleren met de juiste foute kleurencombinaties. Het lief van mijn vriend heeft een knalgroen bloesje aan, een bruin lederen indianenrokje en als klap op de vuurpijl korte, witte laarsjes. Mijn vriend zet een cowboyhoed op en plakt een echte valse baard op die hem transformeert in een marginale figuur, een echte *crapo*. Zelf houd ik het op een paar afgedragen paarse basketbalschoenen, zwarte jeans met kachelpijpen, een bruin met oranje T-shirt en een afgesneden leren jekker. We kijken in de spiegel en evalueren ons '*mauvais goût*'-gehalte. Dat ziet er mooi lelijk uit!

Voordat we richting Ardennen vertrekken, gaan we eerst nog een mondvoorraad wiet inslaan. Daar zorgen vage kennissen van Koen uit het uitgaansmilieu voor. Zij zullen later die avond ook nog naar het feest in het kasteel komen. Misschien wel met nog meer lekkers... Na een paar uur rijden staan we voor een indrukwekkend kasteel, helemaal afgelegen in een prachtig, heuvelachtig landschap. Pierre, de dj van het café, was op dit schitterende idee gekomen. Onder het mom van culturele vereniging heeft hij deze prachtige locatie kunnen afhuren. Hij troont ons mee door het kasteel tot achter in de tuin. Daar staat een troep fuifnummers die allemaal vreselijk hun best gedaan hebben om er zo lelijk mogelijk uit te zien. Om iedereen op het juiste *mauvais goût*-niveau te brengen is er sangria *à volonté*. De warme avondzon en de uitgelaten sfeer doen de rest. Plots horen we vuurwerk afgaan. De pijlen vliegen wild in het rond en voor ik goed weet wat er gebeurt, knalt er iets hard tegen mijn rug. Gelukkig volgt er geen ontploffing, maar op mijn leren jekker zit er nu wel een kanjer van een schroeiplek. Ambiance!

Ondertussen is de zon ondergegaan en Pierre, onze gastheer, neemt het woord. Het is tijd voor een bosspel. Over de complexe spelregels heeft een team specialisten duidelijk grondig nagedacht: de vrouwen verstoppen zich in het bos en de mannen moeten ze gaan zoeken. Duidelijk voor iedereen? Nadat Pierre zich ervan verzekerd heeft dat alle vrouwen richting bos verdwenen zijn, volgt er nog een gratis tourneetje. Dan neemt hij een pistool en geeft het startschot. Met luid gebrul en onder het slaken van primitieve strijdkreten stuiven de mannen uiteen om jacht te maken op bosnimfen. De sangria in mijn lijf zorgt ervoor dat ik mij halsoverkop in de strijd werp. Ongeveer dertig meter voor mij zie ik in het schemerduister een vrouwelijke gedaante. Zonder ook maar één ogenblik na te denken of te kijken waar ik loop, storm ik als een wildeman vooruit. Een laaghangende tak zwiept in mijn oog en mijn prooi kiest het hazenpad. Wanneer ik mijn oog weer opendoe, constateer ik tot mijn ontsteltenis dat ik een lens kwijt ben. Shit! En ik heb geen reservelenzen of bril bij me. Een contactlens zoeken in een bos is uiteraard onbegonnen werk, zodat er niets anders opzit dan de rest van de avond met één lens rond te lopen. Frustrerend!

Korte tijd later zijn alle jonkvrouwen geschaakt en is het bosspel afgelopen. Het is ondertussen al behoorlijk donker geworden. Tijd voor het diner. Iedereen neemt plaats aan lange middeleeuwse tafels en bedient zich, in afwachting van het barbecuevlees, alvast van de groentjes en het stokbrood. Wat er precies misgegaan is met de barbecue, zal wel voor altijd een raadsel blijven. In ieder geval zitten we een uur en een paar glazen wijn later nog altijd te wachten. De dronken bende begint nu écht van slechte smaak te getuigen. Het begint met een erwtje dat eenzaam door de lucht vliegt, gevolgd door een klein stukje brood. Dan schiet een snoodaard met een lepel een welgemikte erwtjeshagel in mijn richting. In een natuurlijke reflex beantwoord ik het vijandelijke vuur met een stevige portie geraspte worteltjes. *Les enfants s'amusent!* Binnen de kortste keren is de lucht zwanger van koude groenten en brood. De muren van de majestueuze eetzaal zijn nu gedecoreerd met sla, barbecuesaus, stukjes tomaat en komkommer. Enkele moedige stukjes geraspte wortel zijn er zelfs in geslaagd het plafond te bereiken. Een origineel kunstwerk, een culturele vereniging waardig.

Na dit statige diner gaan we een slaapplaats uitzoeken om later deze nacht te crashen. Het blijken stapelbedjes. Dat valt behoorlijk tegen in vergelijking met de indrukwekkende benedenverdieping. Maar veel slapen zullen we toch niet doen. Trouwens, ondertussen is klaarblijkelijk ook de cokeboer aangekomen, want Koen haalt plots een wit envelopje boven. We hakken de cocaïne fijn op een spiegeltje en leggen een paar witte lijntjes. Met twee stevige snuiven fladdert het goedje in mijn neus. Ik voel een prikkeling en proef een bittere smaak achter in mijn mond. De rest veeg ik op met mijn natte vinger en masseer dit in mijn tandvlees. Zo hoort dat als je coke snuift. Dat weet ik dan ook alweer. Wanneer de lijntjes op zijn, hoor ik nog gesnuif. In de kamer ernaast staan ze ook hun neus te poederen, aan de binnenkant welteverstaan. Op wat voor een feest ben ik eigenlijk terechtgekomen? Ik voel me zeer helder in mijn hoofd en krijg het gevoel dat ik de wereld aankan. Ik barst van de energie en voel me onweerstaanbaar. *Let's party!*

Eerst verzamelen we echter in de centrale gang van het kasteel. Wanneer zo goed als iedereen als sardientjes opeengeperst staat in de lange gang, gaan totaal onverwacht de lichten uit en klinkt er luide, dramatische begrafenismuziek. Iedereen begint van opwinding hysterisch te schreeuwen en te gillen.

Vier mannen met fakkels dragen een lijkkist door de gang met daarop in het wit de naam van het ter ziele gegane café. Uitgerekend op dat moment komen de eigenaars van het kasteel een kijkje nemen naar de activiteiten van deze vage culturele organisatie. Op een of andere magische manier slaagt de organisator van deze creatieve sessie erin om hen snel weer naar buiten te werken. Na een korte begrafenisplechtigheid barst het feest pas echt los. De dj's zwepen het dansende volkje op tot extatische hoogtes. De wietdampen vermengen zich met de parfums en iedereen gaat uit de bol. Door mijn ogen ziet de wereld er erg vreemd uit. De kant met lens haarscherp, de kant zonder heel wazig. Na een tijdje krijg ik schele hoofdpijn. Er zit niets anders op dan nog meer te drinken.

De combinatie van een overdaad aan alcohol, sigaretten, wiet en coke eist zijn tol. Veel versieren zal er vannacht niet inzitten. Ik ben kapot en ik besluit te gaan slapen. Maar waar was onze kamer ook alweer? Na lang zoeken kom ik toevallig het lief van Koen tegen. Zij is ook behoorlijk boven haar theewater en heeft de slappe lach. Uiteindelijk vinden we onze stapelbedjes. Een poging om haar in het bovenste bed te duwen loopt faliekant af. Ze tuimelt weer naar beneden en valt op haar hoofd. Gelukkig heeft ze genoeg gedronken en krijgt ze weer de slappe lach. 'Ik heb een ei op mijn kop!' blijft ze maar herhalen. Languit laat ik mij op een bed vallen en zink weg in een diepe slaap.

De volgende ochtend is het al middag. Het is alweer een stralende dag en de zon geeft al veel warmte. In de tuin van het kasteel staat een reusachtig middeleeuws ontbijtbuffet opgesteld. Terwijl mijn hersens nog zachtjes nazoemen van mijn uitspattingen van de vorige nacht, geniet ik van een heerlijk bordje rijstpap met bruine suiker. Na het ontbijt vertrekken de meeste fuifnummers weer richting Gent. Wij ook. De rest van de dag slaap ik en de volgende dag begin ik uiteindelijk dan toch te blokken.

Achteraf bekeken was dit een erg decadente uitspatting van mensen met veel geld, voor wie de geneugten des levens op de eerste plaats komen. Een dergelijke manier van uitgaan combineren met het leven van alledag, studeren of werken, vergt grote zelfdiscipline. Of zoals mijn grootmoeder zaliger placht ze zeggen: 'Alle dagen kermis, is geen kermis.' Het is van het grootste belang om steeds in je achterhoofd te houden wat écht belangrijk is in je leven. Ken je eigen grenzen en leg ze vast. Dat is wel makkelijker gezegd dan gedaan! Het is een hele uitdaging te weerstaan aan het verlangen om dit gedrag niet keer op keer te herhalen. Wie zei ook alweer 'de geest wil wel, maar het vlees is zwak'? O, ja! Ook ik ontkwam er niet aan. Lees verder in 'Alles moet weg'.

Cocaïne is gevaarlijk spul, crack *zéér gevaarlijk* spul. Juist omdat het zo'n lekker, maar kortdurend gevoel geeft, wil je steeds opnieuw gebruiken. Verdomd verslavend goedje! Coke is ook duur en een verslaving onbetaalbaar. Bij regelmatig gebruik kan zelfs je neusbeentje wegrotten. De kwaliteit is zéér variabel en bijgevolg kun je kapot gaan aan een overdosis. Als je een idee wilt krijgen hoe dit eruit ziet, moet je maar eens naar de film *Traffic* kijken. Aangezien coke je het gevoel geeft dat je superman bent, zijn vooral onzekere mensen of mensen van wie (te) veel verwacht wordt, een gemakkelijke prooi.

De verslavingspiramide

Een drugprobleem heb je niet van de ene dag op de andere. Het is het resultaat van een evolutie – die soms wel verschrikkelijk snel kan gaan.

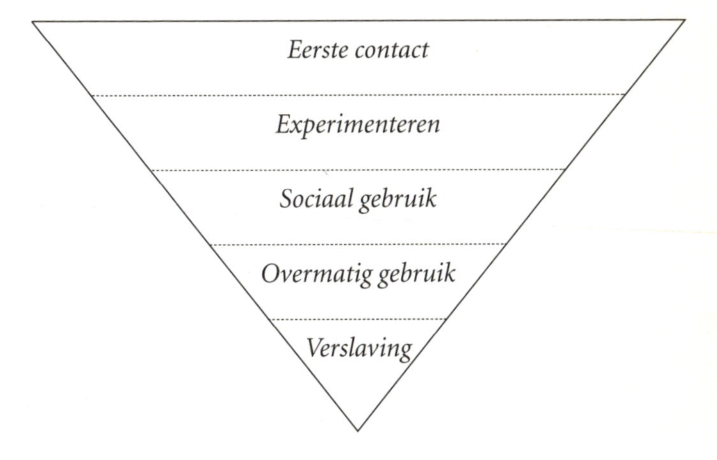

Eerste contact

De allereerste keer dat je in contact komt met een bepaalde drug. Je eerste pintje, je eerste sigaret, je eerste joint...

Experimenteren

Je gebruikt heel af en toe. Je leert de verschillende effecten kennen, verkent je grenzen (bijvoorbeeld dronkenschap) en leert de techniek beheersen (bijvoorbeeld inhaleren). Veel mensen stoppen na deze fase definitief met illegale drugs.

Sociaal gebruik

Je gebruikt regelmatig omdat je tevreden bent over de effecten, de ervaringen en de gewaarwordingen. Het gebruik heet 'sociaal' omdat het niet in conflict komt met de omgeving en je andere activiteiten. Nogal wat mensen slagen erin om bijvoorbeeld alcohol of cannabis op deze manier te gebruiken.

Overmatig gebruik

Je begint almaar meer te gebruiken, ook op ongepaste momenten. Bijvoorbeeld achter het stuur of op school. Je wilt constant onder invloed zijn, bijvoorbeeld om te vluchten voor je persoonlijke leefproblemen. Je neemt klachten van partner, vrienden en omgeving niet serieus en gaat verantwoordelijkheden uit de weg.

Verslaving

Je voelt je niet meer goed als je niet gebruikt. Je kúnt niet meer zonder. Je bent een slaaf geworden van je druggebruik. Zelfstandig stoppen wordt verschrikkelijk moeilijk omdat je dan weer geconfronteerd wordt met alle problemen waarvoor je vluchtte. Zelfs professionele hulp kan maar een deel van de verslaafden definitief uit de problemen krijgen en velen hervallen keer op keer in hun oude gewoonten.

Enkele kenmerken van verslaving of afhankelijkheid

Steeds meer nodig hebben om hetzelfde effect te voelen, afkickverschijnselen bij stoppen, er niet in slagen om te stoppen, meer en langer gebruiken dan je van plan was, steeds meer tijd en geld in het gebruik investeren, blijven gebruiken ondanks een slechter wordende gezondheid...

'Als een drug de kans krijgt
om je beste vriend of geliefde te worden,
dan was er daar een vacature.'
(Philip Kroonenberg, Nederlandse drugdeskundige)

Alles moet weg

Mijn goede vriend Bob trouwt. Dit is een uitgelezen gelegenheid om nog eens een lijntje coke te nemen en zo in topvorm te zijn op het feest. Het concept van het feest is origineel. Geen traditioneel diner, gevolgd door een danspartij met een volle maag. Neen. Alles ineens en door elkaar. Je eet wat en wanneer je wilt van een enorm buffet en ondertussen speelt er een bandje met échte *soulmen*. Dat swingt! Op een onbewaakt moment ontsnappen we met een paar vrienden. We rijden met de auto een veldweggetje in en daar leggen we een paar lijntjes. Niet echt onopvallend, want we staan zowat midden in een donkere weide met het licht in de auto aan. Gelukkig merkt niemand ons op. Bruisend van energie stormen we de zaal weer binnen en shaken dat er de stukken afvliegen. Om een uur of drie is het feest tot onze grote spijt al afgelopen. En we zijn niet eens door onze voorraad cocaïne heen! We spreken af dat we de rest tot het volgende weekend zullen houden.

Donderdagavond is onze vaste uitgaansavond. Meestal gaan we eerst samen sporten, dan iets eten en daarna op café. We happen snel een paar hamburgers naar binnen aan een drive-in. Dan haalt Guillaume een papieren envelopje met coke boven en zwaait er uitnodigend mee. Of we het overschot van het trouwfeest nu niet ineens soldaat zouden maken? Ik heb er wel zin in, maar herinner me onze afspraak om ermee te wachten tot het weekend. We kunnen toch nog wel één dag wachten? Maar de verleiding is te groot en ik bezwijk. Dit worden mijn allerlaatste lijntjes coke. We snuiven alles op wat we nog hebben en ik beslis definitief om nooit meer cocaïne te gebruiken. Voor mij staan immers alle verklikkerlichtjes op rood. Wanneer je de kans hebt om een drug te gebruiken en je bent niet (meer) sterk genoeg om zelf te beslissen of je al dan niet gebruikt, dan is het de hoogste tijd om er onmiddellijk mee te kappen. Ga je er toch mee door, dan wordt het daarna almaar moeilijker. Ik ben er serieus van geschrokken hoe verslavend deze drug wel is! Ik heb in mijn hele leven nog geen tien keer cocaïne gebruikt en vind het ondertussen zo lekker dat ik er nu al geen volledige controle meer over heb. Wel iets om in je achterhoofd te houden, wanneer je op het volgende feestje een lijn coke krijgt aangeboden...

In tegenstelling tot verschillende vrienden van mij heb ik dit probleem persoonlijk nooit met wiet gehad, maar wel bijvoorbeeld met whisky. Ik ben een liefhebber van goede single malt whisky van de Schotse Highlands. Wanneer ik een fles in huis heb, krijg ik 's avonds altijd zin in een stevige borrel. Maar eigenlijk vind ik het helemaal niet leuk om elke avond alcohol te drinken. Daarom koop ik zelf geen whisky meer en daarmee is mijn probleem meteen opgelost. Diezelfde strategie heb ik trouwens ook toegepast op mijn tv-verslaving. Televisie... Dat vind ik nog eens een échte harddrug! Probeer het maar eens: een volledige week níét kijken. Wanneer ik 's avonds rustig in de zetel zit, lijkt het wel of dat kijkkastje mij roept om het aan te zetten. Maar ik heb beslist om geen kabelaansluiting te nemen en dan ben je gelukkig snel uitgezapt.

Ik geniet ook graag van een lekker streekbiertje of twee, drie. Elke avond krijg ik wel trek in iets lekkers. Om te vermijden dat ik elke avond bier ga drinken, heb ik lekkere drankjes zonder alcohol in de koelkast liggen. Het bier ligt niet fris. Wanneer ik dus verlang naar een heerlijk blond streekbiertje, moet ik het eerst nog eventjes laten koelen. En ondertussen drink ik meestal eerst iets anders. Op bezoek bij vrienden durf ik me wel eens te laten gaan in lekkere wijn. Met een stevige kater als gevolg, de volgende ochtend. Daarom probeer ik – ik zeg dus wel 'probeer ik' – elk glas wijn af te wisselen met een glas water. Dit vind ik veruit een betere en gezondere strategie dan deze: Je gaat een nachtje zwaar op de lappen. Je laat de wekker een uur te vroeg aflopen. Je slikt snel een aspirientje dat je de vorige nacht al had klaargelegd. (Als je tenminste niet te zat was om eraan te denken.) Je slaapt nog een uurtje door en wordt wakker zonder of toch maar met een halve kater.

DOE DE DRUGTEST!

Hoe weet je nu of je al dan niet afhankelijk bent van een bepaalde drug (alcohol, sigaretten, wiet, slaap- of andere pillen, koffie, tv)? Er bestaat een heel eenvoudige drugtest. Stop er volledig mee gedurende een bepaalde periode. Bijvoorbeeld één week (als je dagelijks gebruikt) of één maand (als je wekelijks gebruikt) en evalueer hoe je je voelt. Als je prikkelbaar, zenuwachtig, neerslachtig, slap of juist hyperactief bent, dan zou dit kunnen wijzen op een probleem. Durf je de uitdaging aan?

De veranderingscirkel

Een kleine minderheid van de gebruikers komt zwaar in de problemen en heeft zijn gebruik van legale of illegale drugs niet meer onder controle. Met alle lichamelijke, psychische, sociale, financiële en juridische gevolgen van dien.

Om uit deze negatieve spiraal te geraken is een gedragsverandering nodig. Daarbij is de motivatie om te stoppen of te minderen met het druggebruik van cruciaal belang. De verandering kan pas succesvol zijn, als de gebruiker inziet welke negatieve gevolgen zijn gedrag heeft en als hij alternatieven heeft om zijn echte problemen (waarvoor hij constant op de vlucht is) aan te pakken. De veranderingscirkel van Prochaska en Diclemente geeft een schematisch beeld van dit proces.

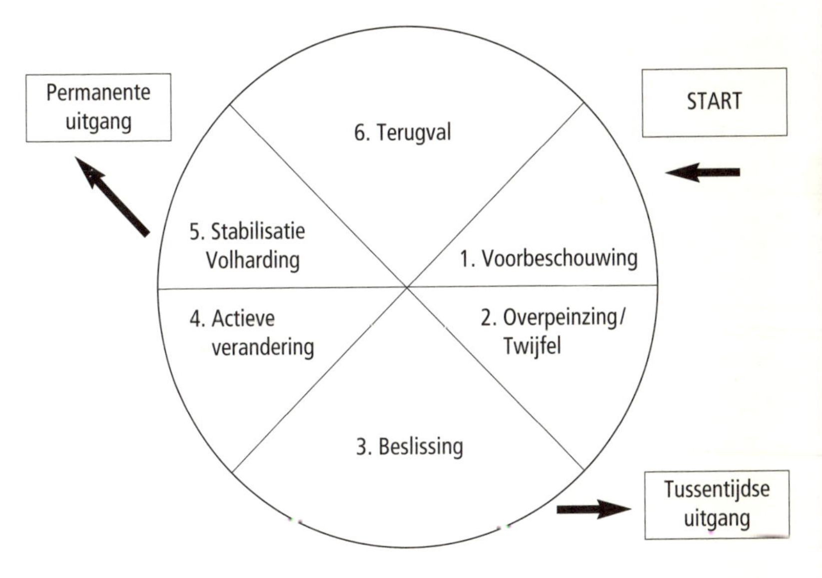

1. Voorbeschouwing

In deze fase is de gebruiker zich niet bewust van de negatieve gevolgen van zijn gebruik (ontkenning) en is hij niet gemotiveerd om zijn gedrag te veranderen (weerstand). De omgeving van de gebruiker (ouders, partner, vrienden...) confronteert hem met de negatieve gevolgen van zijn gebruik (sociale druk).

2. Overpeinzing/Twijfel

Hier beseft de gebruiker dat er effectief een probleem is. Hij maakt de balans op van de positieve en de negatieve effecten van zijn gebruik. Hij twijfelt omdat hij iets leuks dreigt te verliezen. Hij heeft ook angst om de echte problemen onder ogen te zien waarvoor hij probeerde te vluchten met zijn gebruik.

3. Beslissing

De gebruiker komt op een belangrijk kruispunt in zijn leven. Nu moet hij beslissen: veranderen of niet. Veranderen betekent stoppen of minderen met gebruiken en de onderliggende problemen aanpakken. Indien hij beslist om niet te stoppen, betekent dit uiteraard niet dat hij aan zijn lot overgelaten moet worden.

4. Actieve verandering

De (ex-)gebruiker probeert vanaf nu zijn persoonlijke, relationele en maatschappelijke problemen actief aan te pakken. Hij neemt zijn verantwoordelijkheden weer op en leert de juiste keuzes te maken.

5. Stabilisatie/Volharding

In deze fase is de blijvende gedragsverandering (bijvoorbeeld abstinentie) bereikt. Indien in deze fase de onderliggende problemen die aanleiding gaven tot het middelenmisbruik niet opgelost geraken, kan dit een zeer moeilijke fase zijn. De kans op hervallen is uiteraard nooit ver weg.

6. Terugval

Ontsnappen uit een langdurig en hardnekkig gedragspatroon is vaak een kwestie van veel vallen en opstaan. Stoppen met gebruik kan bijvoorbeeld leiden tot een depressie omdat de (ex-)gebruiker zijn problemen niet kan overzien. Ook in deze fase blijft ondersteuning van professionele hulpverleners of omgeving van groot belang.

De duistere bossen (2)

Wie moest er de wegwijzers en de gevarendriehoeken in het duistere bos gaan hangen? In ieder geval moest het iemand zijn die niet alleen veel verhalen over het bos gehoord en gelezen had, maar die het bos ook zelf uitgebreid verkend had. Met vallen en opstaan, maar zonder er ooit echt in verloren te lopen. Iemand die zelf door schade en schande ontdekt had dat er verschillende paden in het bos liepen: gevaarlijke, aangename, glibberige, gemakkelijke, verraderlijke maar ook doodlopende paden. Nu had er een man ontdekt dat er ook ver weg van hier dergelijke bossen bestonden. Daar bestonden er vreemd genoeg zelfs opleidingen tot bosgids. Hij was met ervaren bosgidsen en wandelaars gaan praten en die vertelden hem over oude, nu overwoekerde paden in het bos.

Volgens hem kon je een wandeling in het bos vergelijken met een verre en mogelijk gevaarlijke reis en zeker niet met een snoepreisje. Je moest je eerst en vooral afvragen waarom je eigenlijk op reis wou en wat je daar wou doen. Dat was het allerbelangrijkste advies van de bosgidsen. Als je echt zeker was van je stuk, moest je je goed voorbereiden. Vooraf informatie verzamelen en stevige schoenen aantrekken. Wie nog ervaring miste, kon beter niet alleen op stap gaan, maar beter met vrienden die hij kon vertrouwen. Het juiste moment om te vertrekken was ook belangrijk. Wie zeker wou zijn om de weg terug te vinden, moest zeker niet te ver gaan. Meer dan één pad per keer bewandelen kon duidelijk ook niet.

'Ja, maar!' riepen de bewakers in koor, 'wie geeft ons de garantie dat die jongeren toch niet het verkeerde pad kiezen of verstrikt geraken in het bos?' De man antwoordde: 'Dit reisadvies biedt je inderdaad geen volledige garantie op een behouden thuiskomst. Veel hangt immers af van de persoonlijke sterkte en van de ervaring van de wandelaar. De verleidingen om van het juiste pad af te wijken zijn ook groot. Daarom wil ik de jongeren ook aanraden om toch maar twee keer na te denken voordat ze over de prikkeldraad kruipen en aan deze wandeling beginnen. Aan de andere kant zou het onverantwoord zijn om één op vier jongeren – zelfs bijna één op twee als ze achttien zijn – aan hun lot over te laten door hun waardevolle informatie te onthouden.'

Daar moesten de bewakers eens diep over nadenken. Misschien was het idee om het taboe te doorbreken toch niet zo gek. Verschillende onderzoeksteams waren immers toch zelf tot die conclusie gekomen. En zo geschiedde. De jongeren die nog nooit in het bos geweest waren, hadden nu geloofwaardige informatie over de risico's van het drugbos in handen. De overgrote meerderheid had nu wel begrepen dat een 'onschuldig' wandelingetje in het bos écht niet zonder gevaar was en besliste daarom niet over de prikkeldraad te klimmen. Diegenen die af en toe toch in het bos kwamen en zich goed aan het reisadvies hielden, kwamen minder snel in de problemen.

(einde)

Psychedelica

Psychedelica brengen vrijwel altijd
verdrongen bewustzijnsinhouden aan het licht,
dat wil zeggen dat bepaalde ervaringen of gebeurtenissen
ineens een deel worden
van het ons bekende dagelijkse bewustzijn.
Dat kan gepaard gaan met angst, pijn en verdriet
en zo ontstaat de zo vaak verkeerd begrepen 'bad trip'.
Drs. Hannah Klautz

De boze tovenaar

In 1998 beslissen mijn vriendin Tika en ik om werk, huis, auto, familie, vrienden en zekerheden achter ons te laten en een jaar de wijde wereld in te trekken. Op ons programma staan Peru, Bolivia, Arizona, Indonesië, Nepal en India.

We reizen van Lima, de hoofdstad, langs de kust naar het noorden van Peru. Via Lieva, een Belgische die al dertig jaar in dit land woont, hebben we een adres gekregen waar we de nacht kunnen doorbrengen. Zij speelde vroeger theater en een van haar medespelers, Eduardo, een Peruaan van indiaanse afkomst, woont in een mooi huisje aan de kust. De man is nog steeds bezig met jeugdtheater. Langs haar neus weg vertelt ze er ons wel bij dat die indiaan een echte '*brujo*' is, een tovenaar. Aangezien tovenaars voor mij tot het rijk der sprookjes behoren, sla ik er geen acht op.

De bus nemen in Peru is een hele belevenis. De Belgische familie is een beetje bezorgd over onze veiligheid: de terreurbeweging Sendero Luminoso is wel niet meer actief, maar je weet maar nooit. Daarom raden ze ons aan om met El Cruz del Sur te reizen, een van de betere busmaatschappijen van het land. De busterminal ligt buiten de stad en is ingericht als een luchthaven. Je moet je bagage afgeven aan de balie en voordat je instapt, moet je door een metaaldetector. Het ding oogt indrukwekkend, maar volgens mij functioneert het al lang niet meer. Op de bus wacht ons een volgende verrassing: een echte stewardess, compleet met uniformpje. Later krijgt iedereen zelfs een sandwich en een drankje aangeboden. Als dat geen professionele service is!

De bus rijdt de Panamericana op, de snelweg langs de kust die zowat het volledige Zuid-Amerikaanse continent doorkruist. De zon gaat langzaam onder boven de kilometerlange sloppenwijken die de regering achter een muur probeert te verbergen. Er lijkt gewoonweg geen einde te komen aan deze menselijke ellende. Mijn hart breekt en ik pink een traan weg bij zoveel onrecht. Wat een contrast met deze luxueuze bus waar nu een domme en luidruchtige vechtfilm begint. Rond middernacht wordt het gelukkig weer wat rustig en we doen ons best om wat te slapen. De volgende ochtend komen we aan in het kustdorpje. Zonder al te veel moeite vinden we de woning van Eduardo. Er loopt een witte muur om het huis heen. Een centrale poort doet dienst als ingang. We kloppen aan en hij kijkt verbaasd op als hij ons ziet. Wanneer we vertellen wie ons heeft gestuurd, klaart zijn gezicht op. We stappen door de poort in een kale binnentuin. Aan de linkerkant loopt een steile trap naar zijn huis, aan de rechterkant zijn verschillende kamers. Hij toont ons waar we kunnen slapen en geeft ons de sleutels. 'We zien elkaar vanavond nog wel,' zegt hij. We gaan aan het strand wandelen en kunnen met eigen ogen vaststellen welke ravage de verschrikkelijke regens van el Niño hebben aangericht. Vorig jaar moet dit nog een bloeiend toeristisch stadje geweest zijn. Nu kun je de toeristen op één hand tellen. Van op een gezellig terrasje genieten we van een prachtig zeezicht. Door de overstromingen van een paar maanden tevoren liggen zowel de straten als het strand zelf er wel nog altijd smerig bij.

Bij valavond keren we terug naar ons hotelletje. Na zonsondergang zou het niet meer zo veilig zijn om alleen rond te wandelen. Een goede raad die we, sinds ik onlangs bedreigd werd met een afgebroken flessenhals, graag opvolgen. Eduardo doet open en nodigt ons uit in zijn huis. We vertellen hem over onze wereldreis en hij vertelt enthousiast over theater. Op een bepaald ogenblik rolt hij een joint en begint te blowen. De begerige blik in mijn ogen zal hem niet ontgaan zijn, want hij vraagt of ik ook eens wil trekken. Aangezien ik al enkele weken niets meer gerookt heb, ga ik graag in op zijn voorstel. We babbelen gezellig verder. Even later begint Eduardo almaar onduidelijker te praten. Hij lijkt eerder dronken dan stoned. Misschien is hij wel dronken én stoned. Ik heb er geen goed gevoel meer bij en zeg hem dat we gaan slapen. In onze kamer is het broeierig heet. We zetten de ramen wijd open, maar er waait geen zuchtje wind op deze binnenplaats. Ik kan maar niet in slaap geraken en krijg nare gedachten. Volgens mij voert Eduardo iets in zijn schild. Misschien is hij wel een echte *brujo*. Ik had nooit iets mogen smoren met die kerel. Bovendien is wiet hier illegaal. Straks krijg ik de politie nog op mijn dak.

Aan de overkant van de binnentuin hoor ik gestommel en ik word volledig paranoïde. Ik sta op, sluit het raam en blokkeer de deur. Tika begrijpt er niets van. Ik probeer haar uit te leggen dat we ons tegen die *brujo* moeten beschermen, want dat we anders de ochtend misschien niet halen. Ze vindt dat ik wartaal uitkraam en dat ik beter zou gaan slapen. Geen haar op mijn hoofd dat eraan denkt om het raam ook maar één centimeter open te laten. Pas uren later val ik uitgeput in slaap. De volgende ochtend besef ik hoe erg ik aan het flippen was. Nu is het genoeg. Ik neem mij voor niet meer te smoren met mensen die ik totaal niet ken. De verleiding blijft natuurlijk altijd bestaan, maar uiteindelijk blijft het mijn eigen keuze (en verantwoordelijkheid) om ja of neen te zeggen.

LSD

- LSD (acid, trips): hallucinogene laboratoriumdrug; soortgelijke bewustzijnsveranderende drugs vind je ook in de natuur; bijvoorbeeld peyote, ayahuasca, ibogaïne
- vorm: vloeistof zonder kleur, geur of smaak; wordt meestal aangebracht op een postzegel, vloeipapier, tablet, suikerklontje...
- juridisch: illegaal (geldboete en gevangenisstraf)
- gebruik: meestal een *papertrip* (stukje papier gedrenkt in LSD) die wordt ingeslikt; de trip begint na een goed half uur, piekt na een uur of drie en kan tot twaalf uur duren
- effecten
  - o de effecten verschillen naar gelang van het individu, de hoeveelheid en de frequentie, de plaats en het moment van gebruik
  - o tripmiddelen veranderen de zintuiglijke waarneming, vervormen tijd en ruimte, wekken hallucinaties op en versterken emoties
  - o vergelijkbaar met een zéér levendige droom
- risico's
  - o je kunt nooit zeker zijn van kwaliteit en samenstelling
  - o tripmiddelen kunnen het bewustzijn zo sterk beïnvloeden dat de hallucinaties voor waar worden aangenomen
  - o kan een *bad trip* veroorzaken met angst of paniek tot gevolg; zorg dus steeds dat je iemand bij je hebt die je desnoods kan geruststellen
  - o absoluut af te raden voor mensen die psychisch niet stabiel zijn

- mogelijke neveneffecten: zweten, snelle polsslag, droge mond, misselijkheid, duizeligheid, rillingen
- bij zwangerschap en borstvoeding: ernstige risico's voor moeder en kind
- in het verkeer zijn gebruikers een enorm risico voor zichzelf en de omgeving
- combineren met medicijnen, alcohol en andere drugs is sterk af te raden

• langetermijneffecten
  - tot lange tijd na een trip kunnen gebruikers onverwacht korte 'flashbacks' krijgen, die hun het gevoel geven dat ze weer onder invloed zijn
  - bij ontdekking van gebruik van illegale drugs kunnen er steeds conflicten optreden met ouders, partner, school, werk, justitie...

• afhankelijkheid
  - geen lichamelijke of psychische afhankelijkheid

• nog vragen?
  - www.druglijn.be of 078/15.10.20 (anoniem)

Bron: *Drugs etc.* (VAD)

El Centro Takiwasi

Takiwasi is zowel een hulpverleningsinstelling voor drugverslaafden als een centrum dat onderzoek doet naar traditionele geneeswijzen, gebaseerd op plaatselijke planten en rituelen. Dit project probeert de oude, traditionele kennis te verzoenen met de moderne psychotherapie en houdt hierbij rekening met de westerse ethiek en mentaliteit.

El Centro Takiwasi ligt in Tarapoto in de hoge jungle aan de voet van de Andes in Peru. In deze regio wordt veel cocaïne geproduceerd en zijn er ook veel verslaafden. De Franse dokter Jacques Mabit ontdekte dat de plaatselijke traditionele genezers dankzij hun uitgebreide plantenkennis een effectieve aanpak ontwikkeld hadden voor dit relatief recente fenomeen. Hij ging bij hen in de leer en dit leidde tot de stichting van Takiwasi (Quechua voor 'Het zingende Huis').

Takiwasi is officieel erkend door de Peruaanse overheid. Het biedt vormingsprogramma's voor studenten aan, publiceert boeken en video's en organiseert ook 14-daagse seminaries voor niet-verslaafden en wekelijkse sessies voor bezoekers. Het centrum beschikt over een natuurreservaat van 50 hectare en over een tuin waar geneeskrachtige kruiden gekweekt worden. Dit project heeft de ambitie humanitaire, therapeutische en wetenschappelijke aspecten te verenigen.

De behandeling

Patiënten verblijven gemiddeld negen tot twaalf maanden in het centrum. Ze komen uit vrije wil en krijgen geen klassieke vervangende medicatie. Lichamelijk ontgiften door inname van planten die doen braken en regelmatige stoombaden vormen de eerste fase in de behandeling. Hierdoor worden de effecten van het plotse stoppen met alle drugs ('afkickverschijnselen') sterk gereduceerd. Na twee weken is de grootste zin in drugs verdwenen.

Dan volgt de psychische desintoxicatie, gebaseerd op plantenaftreksels, gemeenschapsleven en psychotherapie. De planten hebben een niet-verslavend (!) psychoactief effect. Ze vergemakkelijken de zelfanalyse, ontspannen de geest en helpen toegang te krijgen tot verdrongen herinneringen en dromen. De manier van werken in een leefgemeenschap en met psychotherapie verschilt weinig van onze westerse aanpak.

Door het rationele denken tijdens de sessies met psychoactieve planten tijdelijk terug te schroeven en tijdens heldere dromen kunnen 'gecensureerde' bewustzijnsinhouden gemakkelijker aan het licht komen. De steun van de psychotherapeut helpt de patiënten de boodschappen van het onderbewuste te interpreteren. De geneeskrachtige planten worden beschouwd als de échte therapeuten, het medisch personeel staat enkel in voor begeleiding en veiligheid.

Deze therapie heeft niet enkel tot doel verslaafden te laten afkicken. Door hen een duidelijk doel aan te bieden plus de middelen om dit te bereiken, houdt deze aanpak ook rekening met de zoektocht naar de zin van het leven van de verslaafde. Dit vereist uiteraard een grondige interne herstructurering van de patiënt die een meer klassieke aanpak (via medicatie, vervangingsdrugs of ideologie) overstijgt.

Resultaten

Sinds de oprichting in 1992 heeft Takiwasi 380 patiënten behandeld. Onlangs werd een studie gepubliceerd (Dr. R. Giove, *La liana de los muertos al rescate de la vida*) over de werking van het centrum tijdens de periode 1992-1998. Het betreft 211 alcohol- of cocaïneverslaafden die minimaal één maand behandeling gevolgd hebben en dit minimaal twee jaar geleden. Enkele resultaten: ongeveer de helft heeft eerst ergens anders al een behandeling geprobeerd, de gemiddelde leeftijd is dertig jaar en het aantal jaren druggebruik twaalf en een half. Ongeveer één op drie patiënten voltooit het volledige programma. De evaluatie van de resultaten is niet alleen gebaseerd op de vraag of de patiënt hervalt in druggebruik. Ook de persoonlijke evolutie en de familiale, sociale en professionele herintegratie spelen een belangrijke rol.

Op basis van deze criteria ontstaan er drie categorieën:
- 'goed': positieve evolutie en een echte, structurele verandering op de verschillende levensdomeinen (31%);
- 'verbeterd': positieve evolutie en een duidelijke verandering, maar met indicaties van een niet volledig opgeloste basisproblematiek (23%);
- 'geen verandering of slecht': (beperkt) hergebruik, verschuiving van illegale naar legale drugs, geen structurele verandering (23%).

Van de overige patiënten is het resultaat onbekend (23%).

Indien enkel rekening wordt houden met de patiënten die het volledige programma hebben afgewerkt, blijkt dat 67% van hen hiervan de positieve effecten (goed of verbeterd) van dit programma heeft kunnen ervaren.

Madrecita Ayahuasca

Na ons avontuur met de boze tovenaar willen we naar Tarapoto reizen, een gezellig junglestadje in het noorden van Peru. Daar willen we een afkickcentrum voor drugsverslaafden bezoeken. Niet dat we dringend moeten afkicken, maar we hebben via via gehoord dat ze er op een zeer aparte manier werken. Het centrum wordt geleid door Jacques Mabit, een Franse dokter. Hij werkte ooit voor Artsen Zonder Grenzen en heeft zich jaren geleden het lot van de plaatselijke drugverslaafden aangetrokken. Omdat hij ontevreden was over de resultaten van de klassieke methodes, heeft hij zijn oor te luisteren gelegd bij de plaatselijke genezers: de sjamanen. Gedurende een paar jaar ging hij bij hen in de leer. In zijn centrum combineert hij nu het beste van beide culturen. En de resultaten zijn ronduit schitterend! Het centrum helpt vooral Peruaanse cocaïne- en alcoholverslaafden. Om het centrum financieel draaiende te houden organiseert dr. Mabit ook seminaries voor buitenlandse therapeuten en psychologen of gewoon voor mensen die geïnteresseerd zijn in andere culturen en die zichzelf beter willen leren kennen. Wij dus. Omdat we op doorreis zijn en op voorhand geen afspraak gemaakt hebben, stelt hij ons na een uitgebreid en geanimeerd intakegesprek een kort programma voor. Het gesprek vindt grotendeels bij kaarslicht plaats. Dit heeft echter niets met romantiek of esoterie te maken. De elektriciteit is gewoon uitgevallen.

Het programma bestaat uit drie stappen. Eerst moeten we ons lichaam inwendig en uitwendig reinigen, dan volgen er enkele sessies met een psychoactieve plant en ten slotte een streng dieet. We beginnen met de grote schoonmaak van de darmen. Een laxeermiddel op basis van magnesiummelk en veel kokosnotensap mist zijn uitwerking niet. Na een paar bezoekjes aan het toilet heb ik het gevoel dat Mr. Proper langs is geweest. Vanaf dat moment mag je geen (rood) vlees of alcohol meer gebruiken.

De volgende dag volgt er een 'natuurlijke' maagspoeling. Daarvoor zorgt yawar panga. Deze plant komt recht uit de grootste apotheek ter wereld: de jungle. Omwille van zijn zeer krachtige werking wordt hij uitsluitend binnen een rituele context genomen. Samen met een vijftiental drugverslaafden zitten we in een cirkel in een speciaal rond gebouw aan de rand van de jungle. Iedereen heeft een grote plastic kruik met vers water en een zwarte emmer naast zich. Voordat de sessie begint, spreken de sjamanen, sommigen gehuld in witte gewaden, allerlei gebeden uit en wordt de plaats met parfum en tabak gereinigd. De hele sessie wordt continu begeleid door sjamanistische gezangen. Wat een bizarre bedoening, denk ik. Zie me hier nu zitten aan de andere kant van de wereld, klaar om vergif in te nemen bij een geschifte Fransman en zijn plaatselijke toverdokters. Enfin, we zullen wel zien! Onze wereldreis staat duidelijk in het teken van verkenning en avontuur. Dat belooft!

Na inname van het bittere goedje moeten we minimaal vier (!) liter water drinken. Na een liter water of twee begin ik te braken. Overgeven wordt bij ons vooral geassocieerd met de gevolgen van te veel alcohol, ziekte of vergiftiging. Voor mij is het in het begin dan ook heel moeilijk om te ontspannen en los te laten. Ik ben jaloers op mijn vriendin Tika, voor wie het zo gemakkelijk gaat als de kraan open en toe draaien. Alles in mij doet pijn. Ik begin me dan ook serieuze vragen te stellen over die kotsplant die ik net heb geslikt. Ik roep de sjamaan erbij en vertel hem dat ik kapot ga. Hij neemt een trekje van zijn sigaret (van plaatselijke zwarte tabak), legt zijn handen op mijn hoofd en blaast de rook met veel kracht op mijn kruin. Wat zijn dat voor rare manieren? Maar als bij toverslag voel ik me ineens beter. Ik begrijp er niets van en kots rustig verder. Onze marteling duurt uiteindelijk zeven uur. De laatste twee uur braken we enkel nog gal. Zeer pijnlijk! Nooit gedacht dat ik ooit op deze manier mijn gal zou spuwen. Waar zijn we in godsnaam aan begonnen? Laten we maar hopen dat het uiteindelijk de moeite waard loont.

Nadien legt de sjamaan me uit dat tabak voor de plaatselijke bevolking een 'heilige' plant is en dat sjamanen met de geest van die plant kunnen communiceren. Zo helpt tabak hen om mensen te genezen, terwijl wij er hier aan kapot gaan. Daar kunnen we vast iets van leren. Deze plantentherapie werkt eigenlijk op drie niveaus. Door over te geven verlaten op fysiek niveau gifstoffen het lichaam. Op psychisch niveau laat je onverwerkte gevoelens (angst, frustratie, woede, verdriet...) los. Je kotst echt je ziel uit je lijf. Dit gebeurt automatisch, maar je kunt ook bewust bepaalde problemen waar je vanaf wilt, koppelen aan het over-geven. Volgens de sjamanen werken deze planten ook op spiritueel niveau. Volgens hun geloof is elke plant bezield en kun je via bepaalde rituelen hulp vragen aan de geest van de plant. Wetenschappers hebben er tot vandaag de dag geen flauw besef van hoe sjamanen aan hun enorme plantenkennis komen. Via de klassieke methode van *trial and error* zouden ze immers duizenden jaren nodig gehad hebben.

Een paar dagen later is het zover. Onze allereerste ayahuascasessie. *Ayahuasca* (letterlijk 'dronken dood') is een zeer krachtige psychoactieve plant. Deze liaan wordt gecombineerd met een andere plant omdat het psychoactieve bestanddeel anders onmiddellijk in de maag afgebroken zou worden. Ayahuasca is een *planta maestra*, een plant die ons, net als een leraar, veel kan leren over onszelf, antwoorden geeft op de meest uiteenlopende levensvragen en ons inzichten verschaft in problemen. Het is niet per definitie nodig om in plantengeesten te geloven of welk geloof dan ook aan te hangen. Zelf heb ik ook geen partijkaart wanneer het op geloven aankomt. Ik geloof in een soort universele kracht, maar heb geen behoefte aan een georganiseerde godsdienst. Eigenlijk doet deze plant niet meer of minder dan een rechtstreeks contact maken met je onderbewuste, waar al veel antwoorden en oplossingen net onder de oppervlakte van je bewustzijn klaar liggen.

Voordat we de plant innemen, moeten we een ritueel kruidenbad nemen. Heerlijk! Om negen uur 's avonds – het is ondertussen pikdonker in de jungle – verzamelen we in de *maloka*, een grote ronde ruimte, een meter hoog ommuurd, met een strooien dak en open zijkanten. Deze plaats wordt bijna uitsluitend gebruikt voor rituelen. We gaan in een kring op de grond zitten. Jacques, de Franse dokter, en een plaatselijke sjamaan zitten naast elkaar, helemaal in het wit gekleed. Hij lijkt wel Panoramix met al zijn potjes en glazen flesjes die voor hem op de grond staan. Het is een grappig zicht. Iedereen heeft een emmer naast zich staan. Alweer overgeven? Voor het geval dat de reinigingssessie van een paar dagen geleden nog niet helemaal effectief geweest is, of wat? Ik ben het beu en neem me voor om niet meer te kotsen. Plots hoor ik een vreemd geluid en ik schrik. Boven mijn hoofd in de nok van het dak zit een uil. Weeral! Symbool van wijsheid. Geen domme dingen doen deze keer! Dan heft Jacques een lied aan in het Spaans. Hij neemt een fles met een sterk geparfumeerde vloeistof en drinkt ervan. Hij spuwt het in de vier windrichtingen en mikt vervolgens op de vloer en naar het plafond. Het lijkt wel alsof hij de boze geesten wil wegjagen. Een beetje overdreven vind ik het wel op dat moment. Dan haalt hij grof zout uit een zakje en loopt de kring rond terwijl hij kwistig met zout gooit. Vervolgens neemt hij een flesje met wijwater – de katholieke en de natuurgodsdienst lopen vloeiend in elkaar over – en iedereen wordt zowat gezegend. Na de bescherming door de elementen aarde (zout) en water volgt het element lucht/vuur. Onvervalste wierook. Ik krijg het gevoel dat ik in de mis zit. Zou het hier dan toch een sekte zijn? Het potje gaat rond en iedereen krijgt de kans om zich in de rook te zuiveren. Waarom niet? Ik zit hier nu toch en kan het spelletje evengoed meespelen. Het kan zeker geen kwaad. Nadat de 'heilige' cirkel op drie niveaus beschermd is, volgt er een eerste lied ter ere van Madrecita Ayahuasca (letterlijk moedertje Ayahuasca).

Dan schenkt Jacques de eerste portie uit en prevelt een gebedje. Eén voor één komen we voor hem zitten, nemen het drankje in ontvangst en mogen nog een laatste woord richten tot de groep. Dan is het mijn beurt. Ik neem het kleine metalen kopje in ontvangst, zeg: '*Salud*!' en drink. Omdat ik benieuwd ben naar de smaak, laat ik het drankje even in mijn mond rollen als een goede wijn. Slecht idee! Het smaakt zo afschuwelijk bitter dat ik er nog kippenvel van krijg als ik eraan terugdenk. Wanneer iedereen zijn portie binnen heeft, gaat het licht uit. Het enige wat overblijft is een vaag schijnsel van de sterren. De sjamaan begint te zingen. Soms in het Spaans, dan weer in het Quechua of een andere indianentaal. Ik zit in kleermakerszit en wacht in stilte af. Benieuwd wat er nu zal gebeuren. Door al die uitgebreide voorbereidingen en rituelen zijn mijn verwachtingen hooggespannen.

Na ongeveer twintig minuten hoor ik iemand overgeven. Nee! Het gaat toch niet weer beginnen, hè! Bij mij blijft het voorlopig beperkt tot een paar stevige boertjes die aankondigen dat mijn maag verwoede pogingen doet om de ayahuasca te verteren. Omdat het heel donker is in de maloka, sluit ik mijn ogen. Dan is het zover. Het begint! Ik voel een aangename warmte onder aan mijn ruggengraat. Dan gaat alles razend snel. Het lijkt wel alsof er een vuurpijl wordt afgeschoten. Een energiebol schiet langs mijn wervelkolom omhoog en komt tot ontploffing in mijn hoofd. Eerst krijg ik aan een razend tempo allerlei geometrische figuren te zien, in de meest fantastische kleuren. Ik heb ooit het boek van Aldous Huxley *The doors of perception* gelezen. Daarin beschrijft hij een mescalinetrip. Het komt aardig overeen. En het is prachtig! Een volgende vloedgolf brengt tekeningen en foto's van de meest fantastische planten met zich mee. De meeste heb ik nog nooit gezien. Eerst lijkt het wel alsof ik door een oude plantenatlas blader, dan ziet alles er weer levensecht uit en stralen sommige planten zelfs licht uit. Nu zie ik een detail van de nerven van een blad en ik duik in de celstructuur. Ik zit in het blad! Ik word kleiner en kleiner. Ik zweef tussen de atomen. Dan gaan we weer voor een ritje op de roetsjbaan. Slangen, tijgers, olifanten, luipaarden... duiken op uit het niets. Het houdt niet op. Te veel om op te noemen. Dan switchen we naar Jurassic Park. Alle dino's passeren de revue. Ik ga verder terug in de tijd tot het eerste levende organisme, tot de geboorte van onze planeet, tot de big bang, tot er niets meer is. Ik zie zo veel en alles gaat zo snel dat ik er maar een fractie van kan registreren. Vol ontzag geniet ik van de film die zich achter mijn gesloten ogen in mijn hoofd afspeelt.

In heel mijn leven heb ik maar één keer geweten wat ik later wou worden. Toen ik een jaar of elf was, wou ik astronaut worden. Die droom heb ik snel opgegeven toen ik hoorde dat je daarvoor veel wiskunde moest studeren. Klaarblijkelijk is hij wel ergens in mijn onderbewuste blijven hangen, want ineens stijg ik op. Vanuit de ruimte zie ik de aarde en de andere planeten. Dan schiet ik tegen lichtsnelheid weg. Net als in sciencefictionfilms rekt het licht van de sterren uit door de ongelofelijke snelheid waarmee ik door de onmetelijke ruimte suis. Ik land op een vreemde planeet. Het lijkt wel of ik door een brievenbus kijk. Wat ik daar zie is zo vreemd dat ik het met geen woorden kan beschrijven. Dan val ik terug in mijn lichaam en ben ik weer in de kring met de andere mensen. Mijn linkerhand slaapt. Het gevoel verspreidt zich over de rest van mijn lichaam. Alsof elke cel in mijn lichaam sneller trilt dan normaal. Het lijkt wel of ik in een microgolfoven zit. Dat een mens een energetisch lichaam heeft, kan ik nu niet meer ontkennen. Ik besef heel goed dat ik onder invloed ben van een drug, maar dit gevoel heb ik ook al gehad tijdens het mediteren of het beoefenen van yoga, maar dan minder sterk. Terwijl ik dit speciale gevoel observeer, krijg ik een nog intensere ervaring. Een draaikolk van energie slingert zich om mijn lichaam. Een stem in mijn hoofd vraagt of ik mee op reis wil gaan. Dat lijkt me wel wat. De ervaring is echter zo hevig dat ik uit pure angst begin te flippen. Ik vrees dat de atomen in mijn lichaam uiteen zullen vallen en dat ik letterlijk zal verdwijnen. Ik zeg tegen de stem dat ik nog niet klaar ben voor een dergelijke reis en de draaikolk ebt weg. Dan krijg ik het verschrikkelijk warm. Mijn hele lichaam gloeit en mijn hart gaat als een razende te keer. Voor mij doemt een enorm brandend kruis op. Het komt dichter en dichter. De hitte is verschroeiend. Gelukkig brengen de gezangen van de sjamaan mij terug naar deze realiteit. Dit is voor mij een van de belangrijkste troeven van deze liederen. Ze vormen een permanente verbinding tussen de externe realiteit en de innerlijke werelden. In geval van nood, bijvoorbeeld bij extreme angst, kun je je hier steeds op richten om weer tot jezelf te komen. Een soort psychische reddingsboei als het ware.

De rust is van korte duur. Er verschijnen afschuwelijke monsters en draken voor mijn geestesoog. Op een bepaald ogenblik sta ik oog in oog met een reusachtige draak. Gelukkig heb ik de tegenwoordigheid van geest om, ondanks de schrik die ik wel degelijk voel, kalm te blijven. Ik besef dat het monster door mijn angst alleen maar groter en lelijker zal worden. Vraag me niet waarom, maar ik probeer te glimlachen naar de draak. Eerst spert hij zijn muil nog wijd open, in een poging mij alsnog de daver op het lijf te jagen, maar dan glimlacht hij terug. Hij verandert in een soort blije, dansende Chinese draak. Tijdens zo'n sessie gebeuren er soms echt wel vreemde dingen. De drugverslaafde die naast mij zat te trippen, vertelde me na de sessie dat hij zelf een lelijke draak was die door iedereen werd uitgelachen. Visioenen van draken en slangen zijn dagelijkse kost tijdens ayahuasca-sessies. Volgens de sjamanen zijn dergelijke dieren bewakers van poorten naar andere bewustzijnstoestanden of dimensies. Wanneer zo'n beest zijn angstaanjagende muil openspert, kun je dit dus ook zien als een nogal ongewone uitnodiging. Na het dansje met de draak komt er uit het niets een enorme kleurrijke slang aangeslingerd. Op een dergelijk moment besef ik pas hoe diep de associaties uit mijn katholieke opvoeding wel zitten. Een slang? Ja maar, dat beest heeft toch een serieus kwalijke reputatie. Herinner je je het aards paradijs? Misschien is ayahuasca hier wel de verboden vrucht. In ieder geval, de slang onderneemt geen verdere pogingen om mij te verleiden, want ze houdt haar muil (de poort dus) stijf dicht. Wanneer ik dit verhaal later aan een vriend vertel, roept dit bij hem herinneringen op aan zijn drugspsychose. Na dagenlang overdadig combineren van verschillende drugs had hij plots alle contact met deze realiteit verloren. Hij werd opgenomen in een psychiatrische instelling en had afschuwelijke visioenen van monsters en duivels tot hij werd platgespoten. Dit is jammer genoeg het enige wat onze westerse geneeskunde bij gebrek aan traditie en rituelen op een dergelijk ogenblik kan doen.

Als de eerste rush een razendsnelle bergrivier was, dan ben ik nu in een rustige stroom terechtgekomen. Ik luister naar de prachtige gezangen van de sjamanen en naar de nachtelijke geluiden van de jungle. Eigenlijk moet ik al een tijdje naar het toilet, maar ik ben er als de dood voor om alleen naar buiten te gaan. In de verte hoor ik gedonder en dichterbij beginnen honden te blaffen. Het lijkt wel of er iets op til is. Op dat moment ben ik echt blij dat de sjamaan daarnet al die hocuspocus heeft uitgehaald om de boze geesten op een afstand te houden. Ik besef nu de zin van die rituelen. Ze bieden bescherming en geven structuur wanneer je de onbekende wereld van het onderbewuste betreedt. Via rituelen wordt de poort naar andere dimensies geopend, maar ook weer gesloten. Indien je dus regelmatig bewustzijnsverruimende middelen consumeert zonder enig ritueel, bestaat de kans dat de deur blijft openstaan. Met alle gevolgen van dien. Het geblaf van de honden wordt luider en verschillende mensen in de kring beginnen op hetzelfde ogenblik te braken. Ik voel een bedreigende aanwezigheid. Bestaan boze geesten dan toch? Om me te beschermen beeld ik me in dat ik een stalen harnas aan heb. Vanuit deze 'veilige' positie observeer ik de vijand. Ik herken hem! Het is Eduardo, de boze tovenaar van aan het strand. De angst slaat me om het hart. Wat komt die hier doen? Dan kom ik op het idee om hulp in te roepen van mijn totemdier. Ineens rijst er achter mijn rug een enorme leeuw op. Samen met de leeuw brul ik – gelukkig niet hardop, stel je voor! – naar de zwarte schim. De geest slaat op de vlucht en verdwijnt net zo snel als hij gekomen was. De honden zijn weer stil. Rust...

Het harnas blijft om mijn lichaam zitten. Ik ben nu letterlijk 'stoned', zo hard als steen. Ik besef nu dat een dergelijke houding mij wel bescherming biedt, maar tezelfdertijd ook gevangen houdt. Dit inzicht maakt dat mijn lichaam weer soepel wordt. Tijdens zo'n sessie kun je niet alleen in de ruimte, maar ook in de tijd reizen. Omdat ik me herinner dat ik als kind heel ongelukkig was wanneer ik in een box moest zitten, besluit ik om naar dat moment terug te keren. Ik zie mezelf als baby in die kleine gevangenis zitten en voel een groot medeleven met dat lieve kindje (met mezelf dus). Ik neem het op mijn arm, troost het en leg het uit dat zijn grootmoeder nu niet op hem kan letten en dat hij daarom voor alle veiligheid eventjes in het loophek moet. Een diepe rust daalt over mij. Een tijdje later krijg ik een diep verlangen naar mijn overleden grootmoeder bij wie ik een groot deel van mijn vroege kindertijd heb doorgebracht. Plots staat ze stralend en glimlachend voor mij. Ik krijg tranen in mijn ogen van ontroering. Zo blij ben ik dat ik op deze manier alsnog afscheid van haar kan nemen.

Op een bepaald ogenblik vraagt Jacques of er iemand nog een beetje ayahuasca wil. Een paar mensen die klaarblijkelijk nog niet veel gevoeld hebben, kruipen naar voren. Zelf ben ik te moe om nog eens meegesleept te worden door een kolkende bergrivier. Na een tijdje worden we één voor één tot bij de sjamaan geroepen. Hij legt zijn ene hand op mijn hoofd en schudt, terwijl hij een lied zingt, met zijn andere hand een bos gedroogde bladeren. Het klinkt als het zachte geruis van populieren. Het effect is enorm rustgevend.

Om een uur of vier 's ochtends wordt de sessie afgesloten. Er volgt nog een hele reeks rituelen en dan gaat het licht weer aan. Terwijl iedereen langzaam weer terugkeert naar deze realiteit, gaat Jacques bij iedereen langs voor een korte evaluatie van de sessie. Ik vind geen woorden om beide sjamanen te bedanken en heb ontzag voor de professionaliteit waarmee ze dergelijke sessies organiseren. Ik voel me herboren, alsof iemand ctrl-alt-del heeft gedaan op mijn interne harde schijf. Nu ik bevrijd ben van alle oude rommel in mijn bovenkamer, is alles weer mogelijk. Het leven lacht ons toe. Wat een schitterend begin van onze wereldreis!

Onder invloed van deze bewustzijnsverruimde plant begin je te dromen terwijl je wakker blijft. En net als in een bewuste droom realiseert bijna alles wat je wenst zich onmiddellijk. Een zeer leuke ervaring natuurlijk. Maar o wee, als je in een nachtmerrie belandt. Eén angstige gedachte en horden monsters en duivels vallen je aan. Zolang je onder invloed bent, kun je immers moeilijk 'wakker' worden. Daarom moet je wel gek zijn om met deze drug te experimenteren zonder degelijke, professionele begeleiding. Naar het schijnt wordt hij ondertussen hier en daar al geconsumeerd op feestjes. Je reinste waanzin natuurlijk! Sinds een paar jaar is ayahuasca niet langer verboden in Nederland voor zover het binnen een rituele context wordt toegepast. Een tak van de Braziliaanse religieuze beweging Santo Daime gebruikt deze plant als een sacrament tijdens zijn vieringen.

DON'T TRY THIS AT HOME!

Tripmiddelen zijn *zéér gevaarlijk*! Je kunt zo'n trip misschien vergelijken met het besturen van een passagiersvliegtuig. Als je geen vliegbrevet hebt, kun je er zeker van zijn dat je zonder ervaren copiloot crasht tijdens de vlucht of de landing. Je zou niet de eerste zijn die in zijn trip blijft steken en afgevoerd wordt naar een psychiatrische instelling...

Puzzelen

Wanneer je een wetenschappelijke opleiding volgt,
krijg je een beeld van de wereld voorgeschoteld,
dat staat als een huis.
Er is overal een (wetenschappelijke) verklaring voor
en als het niet te verklaren is
volgens de heersende wetenschappelijke opvattingen,
bestaat het gewoon niet.
Heel praktisch, heel gemakkelijk.
Het leven is gewoon zoals het in de boeken staat en niet anders.
Alles is geordend en heeft een plek en een functie.
Drs. Iris D. Freie

Sinds René Descartes' '*cogito, ergo sum*' (ik denk, dus ik ben) heeft onze westerse cultuur de ratio verheven tot de enige verantwoorde manier om je brein te gebruiken. De confrontatie met totaal andere culturen tijdens onze wereldreis heeft ons de relativiteit en de beperktheid van ons model doen inzien. Uiteraard is logisch denken een zeer praktische en doeltreffende manier om de werkelijkheid van alledag te begrijpen en in de greep te houden. Een belangrijk fundament is de scheiding tussen object en subject. Dit maakt het mogelijk de werkelijkheid zoals ze aan ons verschijnt haarscherp te analyseren. Het model is echter zo populair en dominant geworden dat we zouden vergeten dat dit maar één manier en niet dé manier van kennen is. Wat je vandaag de dag niet wetenschappelijk kunt bewijzen, heeft nog nauwelijks recht van bestaan. Ons logisch-rationeel model lijkt op het eerste zicht een perfecte puzzel. Maar af en toe merken we dat er stukjes niet echt passen. Meestal worden die dan op het stapeltje 'toeval' of 'inbeelding' gegooid of worden ze een beetje bijgeknipt om ze te doen passen. Misschien wordt het stilaan tijd om de puzzel eens uiteen te halen en een nieuwe, grotere puzzel te leggen waarin object en subject niet langer gescheiden zijn. In dit ruimere kader passen uiteraard veel meer stukjes, maar het zal nog wat puzzelwerk kosten voor we een werkbaar nieuw model hebben. Verschillende hoogstaande prewesterse culturen kunnen ons hierbij ongetwijfeld inspireren.

Een ongewoon gesprek met sla

Na onze ayahuasca-ervaring trekken we verder door Peru. Om te bekomen van de Inca-trail, een zware trekking van vier dagen door de Andes, besluiten we nog een weekje rond te hangen in Cuzco. Deze stad heeft echt alles waarvan de doorsnee rugzaktoerist maar kan dromen. Er zijn niet alleen indrukwekkende archeologische sites, maar op de Plaza de Armas en in de nauwe steegjes er omheen vind je ook leuke winkeltjes, restaurants, bars, dancings... In een van die restaurantjes ontmoeten mijn vriendin Tika en ik Loïc, een sympathieke Fransman, die later een goede vriend zal worden. Hij kent een dame van wie een dochter bij een sjamaan woont. Een sjamaan (letterlijk 'hij die ziet') is een traditionele genezer die door gebruik van bepaalde planten of muziek in een soort trance gaat. Vanuit die veranderde bewustzijnstoestand krijgt hij of zij inzichten in het probleem van de patiënt.

Omdat ik al sinds lange tijd gefascineerd ben door de menselijke geest in al zijn facetten en we met Jacques een schitterende ervaring hebben beleefd, besluiten we de man op te bellen. Ik krijg een jonge vrouw aan de lijn. Ze legt uit dat ze voor ons een 'sanpedro'-sessie kunnen organiseren. Sanpedro is een psychoactieve cactus die door sjamanen gebruikt wordt om in trance te gaan, vergelijkbaar met peyote. Dat wil ik wel eens meemaken. Ik onderhandel nog een beetje over de prijs, omdat die nogal aan de toeristisch hoge kant ligt. We zijn duidelijk niet de enige rugzaktoeristen die geïnteresseerd zijn in een exotische ervaring. Aangezien Tika die dag met een stevige griep in bed ligt, besluiten Loïc en ik dan maar alléén naar de

Valle Sagrada (de Heilige Vallei) te trekken. Achteraf zal dit onze redding blijken.

Ik heb ooit eens een ongelofelijk verhaal gelezen over twee jonge Amerikanen die de woestijn intrekken en daar peyote nemen. Na een tijdje vallen ze allebei neer op de grond, ze kunnen zich niet meer bewegen en verliezen het bewustzijn. Ze dromen dat ze samen verder door de woestijn wandelen en zien een eenzaam huis in de verte. Voor het huis staat een rij indianen te wachten om naar de dokter te gaan. Na een tijdje worden ze samen binnengeroepen. De dokter blijkt een ongelofelijk dikke cactus. Hij vraagt hun wat ze komen doen. Ze zeggen dat ze gewoon eens wilden zien wat het effect van peyote was. Daarop schiet de cactus in een vlammende *colère* en jaagt hen buiten. Ze zetten het op een lopen, nagekeken door de rij wachtende indianen. Op dat moment worden ze wakker uit hun droom en kunnen ze weer bewegen. Tot hun grote verbazing hebben ze beide exact hetzelfde gedroomd. Moraal van dit verhaal? Als je geen duidelijke reden of motivatie hebt om deze drug te gebruiken, blijf je er maar beter af!

Ons avontuur begint met een rit in een gammele bus. Na een paar uur komen we aan in een dorp. Daar wacht ons een aangename verrassing: een knap meisje van een jaar of achttien stelt zich voor als Salma en ze zal ons naar het huis brengen. Met z'n drieën kruipen we in een open motortaxi. Wanneer onze armen elkaar noodgedwongen raken, voel ik een lichte opwinding. Het is al behoorlijk warm en de wind die in ons gezicht waait, doet deugd. We komen aan bij een eenvoudig, witgekalkt huis en een met stenen omheind tuintje, aan de rand van het dorp dicht bij de heuvels.

We volgen Salma naar binnen. De kamer is nogal laag,

zeer eenvoudig maar gezellig ingericht en een groot raam aan de achterkant zorgt voor een lichte sfeer. Er zit een jong koppel Duitse toeristen dat er allesbehalve happy uitziet. Ze zijn hun slaapzakken en matjes aan het oprollen en zeggen nauwelijks goedendag. Ze vertrekken zonder afscheid te nemen. Is dit een slecht voorteken? We hechten er geen belang aan. We zijn immers té nieuwsgierig naar de sjamaan.

Net een vleermuis! Dit is het eerste wat er door mijn geest flitst wanneer een relatief kleine en tengere man van een jaar of veertig binnenkomt. Hij heeft vreemd genoeg een Aziatisch uiterlijk. Antonio is zijn naam. Hij is vriendelijk en zijn dochter brengt ons wat kruidenthee en koekjes. We praten wat over sjamanisme, veranderde bewustzijnstoestanden, psychoactieve planten en drugs. Ondertussen toont hij ons trots zijn uitgebreide bibliotheek met de meest fascinerende boeken die ik ooit gezien heb over deze thema's. Duidelijk een kenner. Redelijk snel komt het gesprek op geld. Hij vindt het maar niks dat ik het aangedurfd heb over de prijs van de sessie te onderhandelen. Ik leg uit dat we een jaar op reis zijn en daarom dus over een beperkt budget beschikken. Dit kan hem nauwelijks overtuigen. We willen hem de dollars overhandigen ('big business' doe je niet in plaatselijk geld), maar hij gebiedt ons de briefjes onder een Boeddhabeeldje te leggen dat op de schoorsteenmantel tussen wat wierookstokjes staat. Als offerande, zegt hij. Nooit geweten dat Boeddha dollars accepteerde. Wanneer ik hem vertel dat een andere sjamaan in het noorden van Peru ons een gunsttarief heeft verleend, verandert de toon. Hij wil exact weten wat we daar gedaan hebben en wat we juist meegemaakt hebben. Ik beschrijf kort enkele van mijn visioenen onder invloed van ayahuasca. Daaruit besluit hij dat ik nog niets heb gezien en dat mijn geest nog op een primitief niveau functioneert. Zo, dat weet ik dan ook alweer...

Of de kruidenthee er voor iets tussen zit weet ik niet, maar plots moet ik hoogst dringend naar het toilet. Mijn darmen zetten het signaal op 'alle remmen los' en ik weet plots hoe de spaceshuttle zich moet voelen op het ogenblik van de lancering. Ik probeer het zaakje netjes door te spoelen, maar het moet natuurlijk lukken dat de watertoevoer is afgesloten. Een beetje gegeneerd breng ik Antonio op de hoogte van de erbarmelijke staat van zijn sanitaire voorzieningen. Hij begint te sakkeren en maakt zich boos op de overheid die deze regio aan zijn lot overlaat. Twee emmertjes water pompen en het incident is doorgespoeld.

Dan volgt een aangename verrassing: Salma, de knappe jongedame, die me trouwens sterk doet denken aan Carine, een ex-lief op wie ik ooit smoorverliefd was, gaat ons masseren. Ik moet op de grond gaan liggen en zij masseert met haar voeten. Plots gaat ze met haar volle gewicht bovenop mij staan en wandelt gewoon over mijn ruggengraat. Ik hoor een paar wervels kraken en hoop dat ze weet wat ze doet. Om één of andere reden moet ik plots aan het liedje '*Master and servant*' van Depêche Mode denken. Het heeft wel iets. Loïc ondergaat dezelfde behandeling en aan zijn gelaatsuitdrukkingen kan ik aflezen dat ook hij aarzelt tussen genieten en afzien. Een lichte vorm van SM? Na de 'voetmassage' begint Antonio aan een vreemd cactusverhaal. Volgens hem is de oorsprong van het menselijk zelfbewustzijn te danken aan de peyotecactus. Toen duizenden jaren geleden mensen rondzwierven in de woestijn en bij gebrek aan iets anders deze cactus opaten, veranderde er iets in hun brein. Ze kregen een radicaal nieuwe perceptie van de werkelijkheid en dit leidde tot nieuwe inzichten en stimuleerde de creativiteit. Het verhaal is behoorlijk geflipt. Maar, *¿por qué no*? Terence McKenna verdedigt trouwens dezelfde stelling in *Food of the gods*, een boek over '*magic mushrooms*'.

Antonio vertelt ons dat zijn vader een échte sjamaan was. Voor hem waren rituelen héél belangrijk wanneer je sanpedro wou nemen. Vroeger vond ik rituelen maar niks. Zinloze handelingen zonder enige betekenis zoals in de kerk. Door mijn ayahuasca-ervaring heb ik mijn mening hierover grondig herzien. Rituelen zorgen voor een duidelijk kader dat je niet alleen toelaat de bekende en rationele realiteit bewust te verlaten, maar vooral ook om langs dezelfde deur weer veilig terug te keren en deze af te sluiten. Wie bewustzijnsveranderende middelen gebruikt zonder erbij na te denken of zonder enig ritueel, laat meestal de deur openstaan bij zijn terugkeer. Dit kan, zeker bij regelmatig en overmatig misbruik, op termijn tot psychische problemen leiden, gaande van stemmingstoornissen over psychose naar schizofrenie.

De 'sjamaan' van dienst geeft toe dat hij zelf eigenlijk géén sjamaan is. Daarom zullen we de rituelen maar achterwege laten. Dit vind ik eerlijk gezegd wel een beetje vreemd. We moeten ons maar inbeelden dat we mensen zijn die in de oertijd rondzwerven in de woestijn en 'toevallig' een psychoactieve cactus opeten. Benieuwd wat dit allemaal zal opleveren. Ondertussen staat er op het vuur in de keuken een stoofpotje cactus te pruttelen. Hier volgt een klein cactusrecept. Pluk een fraai exemplaar in de tuin. Verwijder de schil (wegens erg bitter) en snij de cactus in kleine stukken. Voeg een beetje citroensap toe voor de smaak en laat stoven tot alles gaar is. Je kunt het zaakje natuurlijk ook gewoon in de magnetron kwakken, maar wie weet of golven wel zo'n gunstige invloed hebben. Dan plant je de mixer erin. Het resultaat is een lichtgroene, slijmerige brij die je lauw serveert in een beker. Omdat ons vertering-apparaat wel eens durft te protesteren bij het zwelgen van dit wansmakelijke goedje, gaan we vooraan in het ommuurde tuintje zitten. Het is ondertussen al middag en de zon brandt ongenadig op ons hoofd en op onze blote armen en benen. Daar zitten we dan. Elk met een grote beker groen slijm in onze handen. Twee sjamanen in spe, twee nieuwsgierige kerels die van alle ervaringen willen proeven. Walgelijk smaakt het! Ik krijg het nauwelijks door mijn keel. Na een tijdje komt Antonio kijken of we alles al op hebben. Wanneer ik hem kokhalzend vertel dat dit mij nauwelijks lukt, zegt hij dat we niet te moeilijk moeten doen. Normaal gezien wordt de schil immers meegekookt en dan smaakt het pas echt afschuwelijk. Trouwens, iets lekker of niet lekker vinden getuigt van een lager bewustzijn. Op een hoger niveau bestaat dit onderscheid niet meer. Spijtig genoeg zit ik nog niet op dat niveau en ik walg moeizaam verder. Oef! Mijn beker slijm is eindelijk leeg! We gaan binnen een beetje afkoelen, want het zweet druipt ondertussen van ons lijf. Tot mijn verbazing haalt Antonio een zakje wiet boven. Wiet? In combinatie met die cactus? Hallo?! Hij beweert bij hoog en bij laag dat dit normaal is. Uit beleefdheid neem ik een klein trekje. Loïc daarentegen neemt een paar diepe halen. Als dat maar goed afloopt!

Dan is het tijd voor een stevige wandeling in de heuvels. Antonio en Salma knopen een vreemde sjaal om hun middel en zetten er stevig de pas in. Wat een vreemd koppel! Met enige moeite proberen we hen bij te benen op een smalle, aarden weg die door de velden voert. Een beetje verdwaasd en ondertussen behoorlijk stoned slaan we na een half uurtje een steil pad in dat bezaaid ligt met keien. De hitte is ondraaglijk en ik slaag er nauwelijks in, hijgend en drijfnat van het zweet, mijn evenwicht te bewaren. Na een kwartiertje komen we bij een afgrond. Eventjes uitpuffen... Salma lacht ons vierkant uit om onze erbarmelijke conditie. Ze toont ons met een brede glimlach een partij rotsen die we gaan beklimmen. Nu zijn ze helemaal zot geworden! Gelukkig valt de hellingsgraad nogal mee en bieden de rotsen een goed houvast. Na enkele halsbrekende capriolen houden we halt bij een smalle richel. Het magnifieke uitzicht dat je van hieruit hebt op de vallei, doet onmiddellijk alle inspanningen vergeten.

Loïc en ik nemen plaats op de rand van de richel, Antonio en Salma op een rots een meter achter ons. Benieuwd wat we nu gaan doen. Tibetaanse regenboogmeditatie! Waarom niet eigenlijk? We zitten hier nu toch kiekenstoned op de rand van een afgrond in Peru met achter ons een gestoorde vleermuis en zijn dochter die in mijn ogen met de minuut knapper wordt. We proberen ons, zo goed en zo kwaad als het gaat op de harde rotsen, in kleermakerszit te wringen en sluiten onze ogen. Dan laat de sjamaan een diepe 'AAA' uit zijn keel opborrelen. En dan plots niets meer. Enkel nog stilte. Wat een effect! Ik voel me zalig, gelukkig, licht, zwevend en toch verbonden met de rots waarop we zitten. De sjamaan achter mij vraagt of ik iets speciaals voel boven mijn hoofd. Vreemd genoeg heb ik echt het gevoel dat ik een grote punthoed à la Merlijn de tovenaar op heb. Ik ben er nooit achtergekomen wat dat betekent.

Wanneer ik mijn ogen opendoe, valt mijn blik op een rotsblok zo'n twintig meter lager. Het lijkt verdacht veel op een leeuw. Ik kijk naar Loïc en die ziet net hetzelfde. Ik vraag Antonio of we nu volledig aan het flippen zijn. Hij lacht en vraagt mij wat ons sterrenbeeld is. Twee keer leeuw. Toeval of niet? Ik hoor de stenen leeuw en de sjamaan samen lachen. Ik besluit me op het natuurlijke standbeeld te concentreren en voel een sterke kracht. Mijn concentratie wordt verbroken door feestelijke muziek. Rechts beneden ons in de verte is blijkbaar een soort dorpsfeest aan de gang. Heel even krijg ik het geschifte idee dat het hele dorp weet dat we daar zitten en dat ze speciaal voor ons muziek maken. Het wordt pas echt vreemd wanneer ik het volledige panorama in mij opneem. De hele vallei en de heuvels voor ons zijn begroeid met duizenden bomen. Het dringt diep tot mij door dat al deze bomen levende wezens zijn. Dit geeft me opeens het gevoel dat ik op een podium zit en de bomen zijn het publiek. Ik voel me bekeken. Sinds die speciale ervaring voel ik me nooit meer alleen in een bos!

Antonio kondigt aan dat het tijd is om op te stappen. Héél voorzichtig en héél langzaam probeer ik recht te kruipen. Gelukkig besef ik nog steeds dat ik op de rand van een afgrond balanceer. Op handen en voeten klauter ik naar beneden. Wanneer we alle vier aan de voet van de rots staan, gaan onze twee begeleiders er weer als een speer vandoor. Met vallen en opstaan (letterlijk!) stormen en schuiven we over het smalle pad dat bezaaid ligt met keien. Onze dodentocht stopt onverwachts als Antonio teken doet om het pad te verlaten en tussen een paar borstelige struiken te kruipen. Na een paar meter dicht struikgewas komen we op een overwoekerd pad terecht. Een paar minuten later komen we tot onze verrassing op een open plaats. De bodem bestaat uit een grote, cirkelvormige, vlakke rots. Onze mond valt open van verbazing als we vreemde inscripties in de steen opmerken. De betekenis van de verweerde symbolen ontgaat mij volledig. Antonio wil enkel kwijt dat de vier windstreken erop staan aangeduid. Dat had ik ook wel kunnen raden. Hij vertelt ons dat deze oeroude, rituele plaats door zeer weinig mensen gekend is, maar wel nog steeds gebruikt wordt door plaatselijke sjamanen. Ik ben zo onder de indruk – en bovendien zo weg als een ei – dat ik de plaats nooit terug zou kunnen vinden. Misschien maar goed ook.

We nemen plaats op de vier 'hoeken' van de cirkel. Tijd voor wat tai-chi. Nu heb ik al wel mensen van die slowmotionbewegingen zien maken, maar verder heb ik er geen flauw idee van wat ik mij daarbij moet voorstellen. Ik doe mijn uiterste best om de bewegingen die Antonio maakt na te bootsen. Maar ze lijken me uiterst complex en bovendien hebben de cactus en de wiet mijn coördinatievermogen en mijn evenwicht duidelijk aangetast. Zodra ik op één been probeer te staan, ga ik tegen de vlakte. Tot ergernis van de vleermuis en groot jolijt van Salma. Loïc daarentegen lijkt wel een volleerde tai-chi-meester en imiteert, klaarblijkelijk zonder ook maar enige moeite, alle bewegingen die Antonio voordoet. Na een paar verwoede pogingen geef ik het op. Ik trek me niks meer aan van de verplichte nummertjes en besluit zelf wat spontaan te bewegen. Dat lukt al wat beter. Tai-chi heeft vooral te maken met het in evenwicht brengen van energie. Ik voel me geroepen om eens uit te testen of dit mij lukt. De hitte van de zon wordt nu af en toe getemperd door wat schapenwolkjes. Op de plaats waar we een vertraagde kungfufilm naspelen, verwelkomen we een zacht briesje. Ik strek mijn handen uit naar een wollig schaapje in de lucht en geef de energie aan een groepje bomen dat wat verder op een heuvel staat. Vreemd genoeg voelt die energie nu aan als iets heel stevigs. Het lijkt wel alsof ik pakjes verplaats en ik krijg het magische gevoel dat ik één ben met de natuur. Zálig! Terug in België heb ik nog een cursus tai-ji gevolgd. Het goochelen met pakjes energie lukt me niet meer, maar ik begrijp nu wel beter wat die Chinezen bedoelen.

Dit was het hoogtepunt. Van dan af aan gaat alles bergaf. Na de rare gymnastiekoefeningen sluiten we het geheel af met een paar indiaanse rituelen en we verlaten de ceremoniële plaats. We lopen terug over het smalle pad, wringen ons door de borstelige bosjes en dalen af langs het kronkelende keienweggetje. Dan gebeurt er weer iets vreemds. Loïc begint steeds meer op het ex-lief van Tika te lijken. Niet alleen zijn stem, maar ook zijn typische absurde humor. Wat mij ernstig verontrust is dat hij na een tijdje ook fysiek op die ex begint te lijken. Ik voel me slechter met de minuut. Ik besef wel dat ik onder invloed van sanpedro ben, maar ik sta er toch van te kijken. Deze ongewone verdraaiing van de werkelijkheid is niet toevallig. De ex van Tika was ooit een goede vriend van mij en hij heeft het nooit kunnen verkroppen dat ik zijn lief had 'afgepakt'. Alsof vrouwen geen eigen mening hebben. Maar goed, ik voel mij nog altijd wat schuldig tegenover hem.

Loïc en ik wandelen nu samen op de landweg en genieten van het weidse landschap. Net wanneer ik mijn Franse vriend wil vertellen dat zijn gezicht een vreemde transformatie heeft ondergaan, kijkt hij mij aan alsof ik van een andere planeet kom. Hij ziet alles door een groene filter en ik lijk nu op een marsmannetje. We barsten uit in een hilarische lachbui. Dan slaat mijn stemming weer om. Bezorgd vraagt hij wat er met mij aan de hand is. Dan zegt hij plechtig dat hij nu de ex van mijn vriendin is en dat hij me vergeeft. De tranen rollen over mijn wangen wanneer we in elkaars armen vallen.

Bekijk je dit van op een nuchtere afstand, dan zie je twee pipo's die aan het trippen zijn. Bekijk je dit echter met de ogen van een sjamaan, dan ben je getuige van een psychische heling, het loslaten van een diep geworteld schuldgevoel. Net als alle andere psychoactieve planten kan sanpedro de deur naar je onderbewuste openzetten. Wie ooit op een katholieke school heeft gezeten, herinnert zich misschien nog de heilige Petrus die de sleutel van de hemelpoort bezit en daar ook de receptie verzorgt. Hoewel zowat heel Zuid-Amerika zweert bij het katholicisme, is de oorspronkelijke natuurgodsdienst springlevend. Het resultaat is een boeiende mix van katholieke en inheemse rituelen. Is het daarom dat de mensen deze cactus hier 'San Pedro' noemen?

We voelen ons lekker ontspannen en doen geen enkele poging meer om Antonio en Salma bij te benen. We hebben het gevoel alsof we in een grote zeepbel zitten en zachtjes door het landschap zweven. Dan slaat de twijfel toe. Waar zijn we? Gelukkig stellen we ons deze praktische vraag en niet: Wie zijn we? Er komt toevallig een boer aangewandeld en ik vraag hem de weg naar de stad. Hij bekijkt ons alsof we niet goed snik zijn. Dat heeft hij correct beoordeeld. Hij wijst in de richting die we al een heel tijdje aan het volgen zijn en schudt meewarig het hoofd. Dan pas dringt het absurde van de situatie tot mij door. Ik doe mijn best om logisch te redeneren. Eén: er is maar één weg en die loopt van de stad naar de heuvels. Twee: nu komen we van de heuvels. Conclusie: de stad ligt voor ons. Hoe eenvoudig! We krijgen weer de slappe lach. Ik zie de boer denken dat er serieuze kosten zijn aan die twee toeristen.

We zetten onze weg voort en komen voorbij een slaveld. Als sommige mensen proberen te communiceren met bomen, moet dit ook lukken met sla, denk ik. Zo gezegd, zo gedaan. Ik concentreer me op het frisgroene veld en besef hoe prachtig de sla erbij staat. Bijna krijg ik tranen in mijn ogen van zoveel schoonheid. Ja, ja, je kunt behoorlijk emotioneel worden van sanpedro. Over het algemeen ben ik nogal een koele kikker en ik geloof niets wat ik niet zelf ervaren heb. Ik besef wel dat dit ongelofelijk geschift en belachelijk moet overkomen, maar ik vraag aan de slaplanten of ze het niet erg vinden dat ze daar alleen maar groeien om opgegeten te worden. Gelukkig heeft de sla hierover al nagedacht zodat mijn vraag geen paniek veroorzaakt. De kroppen blijven rustig zitten in het veld. Na een poos komt het enthousiaste en verrassende antwoord: 'We vinden het helemaal niet erg om opgegeten te worden. Op die manier kan onze levensenergie overgaan in een mens en kunnen we fantastische dingen realiseren.' Vanaf nu kunnen alle vegetariërs dus op hun twee oren slapen. Volgende keer zeg ik zeker dank u tegen mijn salade en kijk ik wel uit wat ik daarna zoal doe om de getransformeerde sla niet te zeer te ontgoochelen...

We nemen afscheid van de sla en zetten onze tocht voort. Het duurt niet lang meer of we herkennen het ommuurde tuintje van de sjamaan. We gaan naar binnen en we nestelen ons gezellig in een paar stoeltjes. De knappe Salma komt bij ons zitten. Wanneer ik naar haar kijk, gaat mijn hart sneller slaan. Ik voel dezelfde verliefdheid opkomen die ik ooit voelde voor Carine op wie zij nu als twee druppels water lijkt. Terwijl ik met haar praat – Loïc verstaat immers geen woord Spaans en ik heb geen zin meer om te vertalen – verdrink ik in haar ogen. Shit, zeg, straks slaan mijn stoppen helemaal door! Het gesprek valt stil wanneer de vleermuis erbij komt zitten. Hij informeert naar onze gemoedstoestand en Loïc vertelt dat hij zich eigenlijk heel gewoon voelt. Dit is duidelijk niet naar de zin van Antonio. Er volgt een woordenwisseling tussen de sjamaan en zijn dochter in de tuin. Ik kan totaal niet verstaan waarover het gaat. Op een bepaald moment staan ze echt tegen elkaar te schreeuwen. Dit is duidelijk geen echte sjamaan, laat staan een gids. Dan wordt het stil in de tuin. Ik gluur door het raam en geloof mijn ogen niet. De vleermuis en het knappe meisje staan in een innige omhelzing vurig te kussen. Vader en dochter? Het is verdorie een koppel! Ik ga snel weer zitten en doe alsof er niets aan de hand is.

Wanneer Antonio en Salma weer binnenkomen, stellen ze voor om nog wat wiet te blowen. Gezien mijn verwarde toestand bedank ik voor het aanbod. Loïc echter, die niets gezien heeft, smoort als een schoorsteen. Dit gaat niet goed! De sanpedro blijft flink doorwerken en ik heb de grootste moeite om in het Spaans te vertellen wat ik in de heuvels beleefd heb. Antonio is vooral geïnteresseerd in de affaire met de ex van mijn lief. Heeft hij gevoeld dat ik verliefd geworden ben op zijn vriendin? Of ben ik nu helemaal paranoïde aan het worden? Hij begint ook vragen te stellen over Tika en beweert dat ik beter een veel jongere vriendin zou nemen aan wie ik nog veel kan leren. *Speak for yourself*, vleermuis! Hij blijft maar persoonlijke vragen op mij afvuren en plots krijg ik het gevoel alsof hij met zijn klauwen mijn geest binnen wil dringen. Gelukkig ben ik niet aan mijn proefstuk toe. Ik visualiseer onmiddellijk een harnas rond mijn lichaam. Ik hoor en voel de klauwen krassen maken op het metaal. Afschuwelijk akelig!

De wiet begint nu zijn tol te eisen bij Loïc. Hij voelt zich plots wat onwel worden en ik maak van de gelegenheid gebruik om het huis uit te vluchten om een luchtje te scheppen. Buiten voel ik me weer een beetje tot rust komen. Mijn vriend echter is alle contact met deze realiteit verloren. Hij weet niet meer wie hij is en voelt geen vaste grond meer onder zijn voeten. Ik leg Antonio de benarde situatie van Loïc uit en vraag of hij ons terug naar de normale realiteit kan brengen. Hij lacht mij uit en vraagt mij naar welke realiteit ik terug wil gaan. Nu begin ik pas echt te flippen. Die kerel is gewoon gestoord! Wie weet wat hij met ons van plan is. Misschien is het wel een soort vampier! Ik had van in het begin op mijn intuïtie moeten vertrouwen en onmiddellijk rechtsomkeer moeten maken. Maar daarvoor is het nu al véél te laat.

Je kunt een sanpedro-trip het best vergelijken met een trekking in de Himalaya. Als je alleen op pad bent, waag je je vanzelfsprekend niet ver van de betreden paden. Met een ervaren gids durf je overal meegaan omdat je erop vertrouwt dat hij je terug naar de bewoonde wereld kan brengen. Maar wat als je gids midden in de bergen plots zegt dat hij het ook niet goed niet meer weet? Antonio raadt aan dat we iets eten. Zelf heeft hij enkel wat brood en honing. Dit blijkt niet voldoende om het groene cactusslijm dat volgens hem aan de binnenkant van de ingewanden blijft plakken, te verwijderen.

Ondertussen is het al avond en daarom stelt de vleermuis voor dat we blijven slapen. Hier blijven slapen? Onder één dak met die vampier? Geen denken aan! Plots denk ik terug aan de twee bleke Duitsers die we vanochtend gezien hebben. De schrik slaat me om het hart. De valse sjamaan dringt aan en zegt dat het onverantwoord zou zijn om in deze toestand alleen terug te keren. Gelukkig hebben we een aanvaardbare reden om ogenblikkelijk te vertrekken. Ik leg hem uit dat we onmogelijk kunnen blijven aangezien Tika ziek is en ongerust zou worden. Uiteindelijk stellen Antonio en Salma voor om samen iets te gaan eten in een restaurantje. Weer lopen ze zo'n twintig meter voor ons uit alsof ze niet met ons gezien willen worden. We lopen nog steeds in onze zeepbel rond en aan de blikken van de mensen op straat te zien, lijkt iedereen dat ook te merken. We komen aan bij een groezelige bar waar een vreemd uitziend koppel toeristen bier zit te slurpen. De keuken is gesloten. Gelukkig!

Voor mij is de maat vol. We nemen afscheid van Antonio en Salma en willen er meteen vandoor gaan. Bezorgd vragen ze ons of dit ons gezien onze belabberde toestand wel zal lukken. Ik probeer hen ervan te overtuigen dat dit geen probleem is. Toch zetten de vleermuis en zijn madam hun zoektocht naar eten voort. We volgen hen slaafs. De voeten van Loïc raken nauwelijks de grond. Hij heeft zichzelf nog altijd niet teruggevonden en ik heb het gevoel dat hij als een ballon naast mij zweeft. Ik doe mijn uiterste best om hem hier te houden. Hij zegt dat hij graag naar huis zou gaan, maar dat hij zich niet in staat voelt om dit op eigen kracht te doen. Ik probeer logisch na te denken en een ontsnappingsplan te bedenken. Onze gidsen lopen ondertussen naar schatting zo'n dertig meter voor ons op een grote weg. Wanneer we aan een nauwe zijstraat komen, trek ik Loïc opzij en we rennen voor ons leven. Aan een paar voorbijgangers vraag ik de weg naar de bushalte. We hebben geluk, want na tien bange minuten komt er een bus aan richting Cuzco. Gered! Maar we zijn nog niet aan het eind van ons avontuur...

Wanneer de kaartjesknipper langskomt, een kereltje van een jaar of twaalf, besef ik dat ik mijn portefeuille kwijt ben. Verdorie! Ik vraag Loïc of hij soms geld bij zich heeft, maar ik krijg er geen zinnig woord uit. Ik zeg tegen het kereltje dat we in Cuzco met de buschauffeur zullen afrekenen. Ondertussen is het buiten pikdonker geworden. Loïc begint plots weer te praten. Hij begint dezelfde vragen over Tika te stellen als de vleermuis. Op een bepaald ogenblik begin ik echt te geloven dat de geest van die pseudo-sjamaan bezit heeft genomen van de Fransman. Wanneer ik hem iets later vraag waarom hij mij zo zit uit te horen, kan hij zich niets meer herinneren. Daar zit ik weer te flippen in mijn trip. Naast een sprekende vleermuis. Nog een vol uur te gaan. Dit houd ik nooit vol. Ik heb de grootste moeite om mijn gedachten erbij te houden en me niet te laten meeslepen in deze nachtmerrie.

Wanneer we na een eeuwigheid Cuzco binnenrijden, breekt het angstzweet me uit. Hoe gaan we nu betalen? Voor de zoveelste keer draai ik mijn zakken binnenstebuiten. Tot mijn grote verbazing en blijdschap vind ik een briefje van twintig dollar. De buschauffeur bekijkt ongelovig het briefje langs alle kanten en vraagt hoeveel dat waard is. Rekenen is er niet meer bij voor mij. Daarom zeg ik hem dat hij mag teruggeven wat hij wil. Hij geeft me twintig sol terug (zo'n zeven dollar). Véél te weinig natuurlijk, maar ik ben dolgelukkig dat we nu toch een taxi kunnen nemen naar de jeugdherberg.

We stormen de kamer binnen waar Tika met hoge koorts ligt te slapen. Ze begrijpt helemaal niets van het verwarde verhaal over sanpedro, Duitsers, vleermuizen, tai-chi, geheime tekens, sprekende sla, valse gidsen, vurige kussen, groezelige bars, twintig dollar, wiet, haar ex-lief... Ze heeft de grootste moeite van de wereld om ons te kalmeren. We hopen dat zij ons weer met onze voeten op de grond kan brengen. Als ze hoort dat we de hele dag nog niets gegeten hebben, geeft ze ons wat oud brood en een zak noten. Dat is het enige wat we op de kamer hebben en we durven niet meer naar buiten. In de hoop definitief naar onze vertrouwde realiteit terug te kunnen keren, eten we als leeuwen. Omdat Loïc nog af en toe wartaal uitkraamt en ik nog altijd wat paranoïde ben, vragen we hem naar zijn hotel te gaan. Er volgt nog een angstige nacht met veel warrige gedachten en nachtmerries over vleermuizen en vampiers. Gelukkig is Tika daar om mij te steunen. Uiteindelijk duurt het nog een paar dagen vooraleer de tropische brainstorm volledig is uitgeraasd en we weer helemaal in orde zijn. Ik mag er gewoon niet aan denken wat er gebeurd zou zijn, indien we de nacht bij Antonio hadden doorgebracht.

Gelukkig ben ik er weer eens met de (serieuze) schrik vanaf gekomen. Jonge mensen met iets minder levenservaring – ik was toen al 32 en al vijf jaar bezig met yoga en meditatie – kunnen gemakkelijk in de knoop geraken met hun eigen geest. Het kan weken duren voor je weer volledig in je plooi bent. Het is dus ernstig uitkijken voordat je je aan zoiets waagt! Ga zeker niet lichtzinnig te werk en bereid je goed voor. Informeer je grondig, formuleer een duidelijk doel, wees bereid om iets te leren over jezelf, dubbelcheck de achtergrond van je begeleiders en vergeet vooral nooit dat psychedelica géén speelgoed zijn!

Het eiland in de vulkaan

We zitten op Sumatra, een relatief groot eiland van de Indonesische archipel. We zijn er de orang-oetans (letterlijk 'mensen van het woud') gaan bewonderen. Ongelofelijk hoeveel menselijk gedrag die dieren vertonen. Het is dan ook triest vast te stellen dat deze diersoort, die nog slechts op twee eilanden ter wereld voorkomt, met uitsterven bedreigd wordt door de massale houtkap. Denk dus twee keer na voordat je (tuin-)meubels van teak of ander tropisch hardhout koopt! We hebben in onze reisgids gelezen dat er ergens op dit eiland een enorm meer in de krater van een vulkaan ligt met daarin weer een eilandje. Met een beetje geluk kun je daar Jurassic Park beleven, live en van heel dichtbij. Er leven immers vliegende honden, een soort vleermuizen met vleugels van meer dan een meter spanwijdte. De beestjes zijn wel overtuigde vegetariërs, maar het blijft een beetje griezelig.

Op dit bizarre eiland in het kratermeer van de vulkaan heeft zich in de geflipte seventies een hippiegemeenschap gevestigd. Veel permanente bewoners zijn er niet meer, maar de gezellige hotelletjes, restaurantjes en winkeltjes trekken nog altijd rugzakkers aan. Wanneer we er aankomen, is het einde van het toeristische seizoen duidelijk aangebroken. De moesson is immers op komst en af en toe valt de regen er met bakken uit de lucht. En een paar uur later is alles gelukkig alweer verdampt door de hitte.

In enkele restaurantjes staat er *magic mushroom* op de menukaart. Het lijkt wel een doodgewone plaatselijke specialiteit.

Omdat ik thuis al een paar keer paddo's gegeten heb en telkens een leuke tijd beleefd heb, laat ik deze unieke gelegenheid niet voorbijgaan. Ik informeer bij de dame van het restaurant welk effect ik van deze plaatselijke paddestoelen mag verwachten. Volgens haar word je er gewoon een beetje lacherig van. Een zeer mild effect dus. Laat maar komen, zeg ik, en een half uurtje later eet ik met veel smaak een omelet champignon. De rest van de avond zit ik op de uitwerking te wachten, maar er gebeurt niets. Helemaal niets! Ik voel me bekocht.

De volgende avond gaan we naar een ander restaurantje. Daar staan geen *magic mushrooms* op het menu, maar ik informeer toch even bij de kok. Natuurlijk kan hij mij een heerlijke omelet champignon maken en hij zal de paddestoelen zelf gaan plukken in de weide. Zo kan hij het gewenste effect garanderen. Ondertussen hebben we wel honger gekregen en we bestellen alvast een rijstschotel. Zodra die klaar is, springt de kok op zijn scooter en een uurtje later toont hij ons trots zijn vangst. Een grote koekenpan vol met enorme witte en grijsgroene paddestoelen. Ze zien er een beetje gevaarlijk uit en ik hoop maar dat hij weet waar hij mee bezig is. We spelen op veilig en bestellen één omelet voor ons beiden. Ik eet één helft en Tika een kwartje. We wachten een uurtje in spanning af. Omdat ik nog steeds niets voel, peuzel ik ook het laatste stuk op. Het zal wel psychologisch zijn, maar nog geen vijf minuten later begin ik het effect te voelen. Tot mijn grote spijt voel ik me helemaal niet lacherig, maar eerder misselijk. Ik krijg ook een zwaar gevoel achter in mijn nek. Het doet me een beetje denken aan die keer dat we in een supermarkt in België een blik Chinese champignonsoep gekocht hadden en allebei kotsmisselijk waren geworden. Dit voorspelt niet veel goeds. Maar ja, nu is er geen weg terug.

We besluiten wat te gaan wandelen in de hoop dat de koele avondlucht dit onaangename gevoel zal doen wegtrekken. We wandelen en we wandelen en we blijven wandelen. Voor ons de enige manier om niet flauw te vallen. We kunnen nu nog amper denken en vrezen voor een serieuze voedselvergiftiging. Die dwaze kok heeft vermoedelijk de foute paddestoelen geplukt of gewoon té veel *mushrooms* in onze omelet gedraaid! We stappen een cafeetje binnen en ik heb de grootste moeite ter wereld om gewoon twee koppen thee te bestellen. Betalen lukt al helemaal niet meer. Noodgedwongen leg ik gewoon de inhoud van mijn portefeuille op de toog en laat de verbaasde barman er het juiste bedrag uitnemen. Gelukkig zijn het daar eerlijke mensen en ben ik niet de eerste verwaaide toerist op paddestoelentrip die problemen heeft met wereldse zaken. Omdat ik me niet veilig voel en niet goed kan ademen in de bar, gaan we naar buiten. Weer wandelen!

In een helder moment besef ik ineens dat de oorzaak van onze bad trip misschien gewoon ligt aan het feit dat we die *magic* omelet als dessert genuttigd hebben, terwijl het aangewezen is om een lege maag te hebben. Sommigen vasten zelfs van de avond tevoren, verneem ik een dag later. We gaan terug naar onze kamer en nemen een maagtablet. Na een half uurtje begint de misselijkheid langzaam weg te trekken. We kruipen met veel angst in bed. Omdat ik vrees nooit meer wakker te worden, lig ik zeker nog een uur te woelen. Uiteindelijk val ik dan toch uitgeput in slaap. Psychoactieve paddestoelen zijn duidelijk geen speelgoed en wie met vuur speelt, kan wel eens zijn vingers verbranden.

Het probleem met drugs is niet alleen een kwestie van de juiste kwaliteit of dosis. Magische paddestoelen, of het nu psilo's van bij ons, Siberische vliegenzwammen of Indonesische paddo's zijn, worden sinds mensenheugenis door traditionele genezers of sjamanen gebruikt om in trance te gaan. De bedoeling is steeds duidelijk: inzicht krijgen in jezelf of in de problemen van andere mensen. Bewustzijnsverruimende middelen nemen gebeurt nooit zonder rituelen die een duidelijk kader scheppen dat een houvast kan bieden terwijl je onder invloed bent. Je kunt jezelf immers ongewild vergiftigen, een te grote dosis innemen of psychisch ernstig in de war geraken. De vrolijke kabouter in de paddestoel kan snel veranderen in een levensechte angstaanjagende trol die jou wil meesleuren in zijn naar rottende lijken stinkende, donkere hol...

Listen to the radio

Het is de aloude vraag,
wie wij mensen zijn,
wat de zin van het leven,
het uiteindelijke doel van ons bestaan is,
waardoor velen zich met het gebruik van psychedelica
op het pad naar het antwoord begeven.
J.P. Klautz

Er was eens een land waar iedereen steevast naar een en dezelfde radiozender luisterde. Een station dat non-stop maar één muziekgenre uitzond. Generaties lang luisterden de mensen enkel en alleen naar deze zender. De meeste radio's stonden zowat vastgeroest op deze frequentie. Op een paar 'gestoorde' uitzonderingen na wisten de mensen niet eens meer dat er nog andere zenders bestonden. Af en toe had er wel een nieuwsgierigaard geprobeerd om met een stevige ruk aan het tandwieltje van golflengte te veranderen, maar het enige wat hij toen hoorde, was een verschrikkelijk geruis. Dit gaf hem zo'n schok dat de mensen hem moesten afvoeren naar het gesticht.

Wie echter leert om op de juiste manier af te stemmen, kan genieten van een hele variëteit van zenders, van klassiek tot rock, van chanson tot dance. Maar let op! Indien je nu aan een fervente liefhebber van klassieke muziek heel enthousiast begint te vertellen over de nieuwste *underground grooves*, dan zal die je vermoedelijk ongelovig aankijken en meewarig het hoofd schudden, al dan niet vergezeld van geluiden in de stijl van ‘tsk, tsk, tsk’ en licht getokkel met de wijsvinger tegen de rechterslaap.

Hoe kun je nu veilig afstemmen op die andere zenders? Veranderde bewustzijnstoestanden kunnen op verschillende manieren worden opgeroepen. Psychedelica zijn een zeer krachtig en dus gevaarlijk middel. Je kunt je bewustzijn ook ontwikkelen met mediteren (regelmaat is belangrijker dan duur), yoga (positieve effecten op lichaam én geest), vasten (twee dagen geven al resultaat), afzondering (een nachtje helemaal alleen in een bos slapen of een paar uur in een ‘*floating tank*’ doen wonderen), ritmische muziek (zowat alle elektronische dansmuziek), dansen (www.trancedans.be), rituelen (het best gebaseerd op oude tradities), bidden (niet meer zo populair, maar voor sommigen werkt het echt), chanten enzovoort.

Schudden en beven

Op een avond zit ik in mijn eentje op het betonnen dak van ons afgelegen, half afgewerkte hotelletje in Mahabalipuram (India). Er liggen zakken cement en stenen, hier en daar steken betonijzers uit de vloer en de warme wind speelt met rondfladderende stukken plastic. Bij het licht van de sterren installeer ik mij op mijn groene rolmatje en stop mijn metalen wietpijpje. Nadat ik twee diepe halen heb genomen, voel ik me eerst ontspannen. Ik luister naar het geruis van de zee. Na een tijdje begint mijn hart sneller en heviger te slaan en beginnen mijn armen en benen een beetje te trillen. Als ik wil, kan ik dit onderdrukken, maar het voelt niet goed aan. Mijn hartkloppingen boezemen me angst in en daardoor lijkt het almaar erger te worden. Ik probeer het hoofd koel te houden en adem een paar keer diep in en uit. Dit helpt een beetje, maar ik ben nog steeds niet in orde. In gedachten doe ik verwoede pogingen om mijn hartslag onder controle te krijgen. Ik sluit mijn ogen en tel mijn hartslagen. Dan ga ik ietsje trager tellen en adem ondertussen rustig diep in en uit. Het werkt! Mijn hart slaat nog steeds snel, maar mijn paniekaanval is over. Wat vruchtensap en iets om te knabbelen zorgen ervoor dat ik me na een tiental minuutjes alweer wat beter voel. Wanneer ik een paar dagen later nog eens smoor, doet hetzelfde scenario zich voor. Vervelend! Telkens wanneer ik van een jointje wil genieten, begin ik te trillen. Dat zit niet goed. Ik stop ermee.

Een tijdje later ontmoet ik een ervaren blower. Hij rookt sinds jaren elke dag verschillende joints. Hij leeft nogal afgezonderd en doet bijna niets anders dan mediteren en filosoferen. Een echte kluizenaar. Niets voor mij, om zo dag in dag uit onder invloed rond te lopen. Als ik hem vraag wat hij doet voor de kost, geeft hij een vaag antwoord. Ik vrees dat drugs wel een zéér belangrijke rol in zijn leven spelen. Wanneer ik hem vertel over mijn probleem, knikt hij begrijpend. Hij heeft dit ook al meegemaakt en heeft zelf een oplossing ontdekt. Hij vraagt me om de volgende keer dat ik wiet rook, heel aandachtig mijn lichaam te voelen en ondertussen langzaam diep in en uit te ademen. Zulke oefeningen doen me denken aan de yoga- en meditatietechnieken die ik sinds jaren beoefen. In gedachten wandel je door je hele lichaam te beginnen bij je grote teen en eindigend bij de top van je schedel. Als je veel verbeelding hebt, kun je zelfs hier en daar een woordje van dank of aanmoediging uitspreken. Uiteindelijk heb je niet alleen de macht over je lichaam, maar ben je er ook verantwoordelijk voor. Ongetwijfeld zul je ergens in je lichaam spanningen voelen. Dat is normaal. Bijna iedereen loopt met spanningen rond, bijvoorbeeld in buik, maag, nek, of voorhoofd. Wanneer je de plaats van de knoop gelokaliseerd hebt, concentreer je je eerst een volle minuut op het contact van je voetzolen met de grond of het contact van je lichaam met de stoel waarin je zit. Het is heel belangrijk om goed te 'aarden'. Dan richt je je aandacht weer op de plaats van de spanning. Terwijl je dit doet, adem je langzaam in en uit. Als je veel fantasie hebt – meestal lukt dat wel als je wat gesmoord hebt – kun je je inbeelden dat je zuivere, witte lucht inademt en vuile, zwarte lucht uitademt. Als je geen enkele ervaring hebt met dit soort oefeningen, dan doe je dit best niet alleen.

Als je dit te ingewikkeld vindt, vertelt hij, kun je ook gewoon wat rustige muziek opzetten en spontane bewegingen maken. Dit helpt ook al om de spanningen in je lichaam wat los te laten. Doe dit wel alleen of met goede vrienden in de buurt, want je kunt wel eens onverwacht rare bewegingen maken, lacht hij. Het is belangrijk om de controle over je lichaam een beetje te durven loslaten. Anders nemen de trillingen alleen maar toe. Ten slotte is het van het grootste belang, drukt hij me op het hart, dat je bereid bent iets over jezelf te leren. Anders is het beter dat je stopt met smoren.

Aangezien ik van nature wreed nieuwsgierig ben – ook naar mezelf – besluit ik de eerste techniek eens toe te passen. Ik vertel Tika wat ik van plan ben en ze belooft glimlachend een oogje in het zeil te houden. Na een paar trekjes van mijn wietpijpje is het al zover. Straks ga ik weer beven. In gedachten wandel ik door mijn lichaam en voel dat er ter hoogte van mijn hart een soort stop zit, waardoor mijn energie niet vrij kan stromen en mijn lichaam begint te trillen. Ik sluit mijn ogen en adem witte lucht in en zwarte lucht uit. Na een paar minuutjes breekt de dam. De stop komt los en hij vliegt omhoog. Een siddering in mijn hoofd. Dan krijg ik in een flits beelden in mijn hoofd van Carine, op wie ik ooit stapelverliefd was. Ik besef plots dat ik me nog steeds schuldig voelde over de eerste keer dat we naar bed zijn gegaan. Achteraf vertelde ze me immers dat ze zich wat geforceerd voelde. Al die jaren had ik dit gevoel meegedragen in mijn hart. Dan wordt alles stil. Rustig, geen trillingen meer... Ik voel me opnieuw zalig ontspannen.

Na dit experiment ben ik nog een paar keer met zulke spanningen geconfronteerd. Door mijn jarenlange ervaring met yoga bleek deze techniek voor mij goed te werken. Dergelijke ervaringen kunnen in principe bij iedereen voorkomen wanneer je af en toe smoort. Op zich geen reden tot paniek, maar als je zeker wilt spelen, is dit een signaal om tijdelijk of misschien zelfs definitief te stoppen. Gewoon een kwestie van gezond verstand! Tenzij je natuurlijk absoluut wilt weten hoe een psychiatrische inrichting er van binnen uitziet...

Angst voor de leegte

Een van de functies van het denken
is voortdurend met iets bezig zijn.
De meesten van ons
willen onze geest ook aan één stuk door bezig zien,
opdat dit zal verhinderen
dat we onszelf zien zoals we inderdaad zijn.
We zijn bang voor de leegte.
We zijn bang onze angsten onder ogen te zien.
Krishnamurti

De weerwolf

Via via zijn we te weten gekomen dat er ergens in Goa een maagdelijk strand bestaat, met alleen een restaurant en enkele hutjes. Het lijkt ons perfect. Na wat zoeken, een stoffige busreis die wel eeuwig leek te duren en een paar kilometer wandelen langs de kustlijn, vinden we het beloofde land: Morjim Beach. Wanneer we er uitgeput aankomen, wacht ons een onaangename verrassing. Het restaurant is er, de drie hutjes van palmblaren ook, maar ze blijken alle drie volzet. *No problem, sir!* We bouwen er morgen wel een hutje bij. Als je dat niet gelooft, maken die Indiërs je wel wat anders wijs! Die nacht slapen we in een bosje met enkel een gammel afdak boven ons hoofd. Hopelijk worden we niet opgegeten door de bosmieren. Na een onrustige en winderige nacht strompelen we nog slaapdronken naar het restaurantje voor een stevig ontbijt. We slaan bijna achterover van verbazing. Naast de drie hutjes op het strand rijst het houten geraamte van onze toekomstige hut op. Ze menen het, verdorie. We naderen eerbiedig het bouwwerk en bewonderen het als was het de Taj Mahal. Over een uurtje is het klaar, klinkt het. De verse fruitsla smaakt heerlijk en, inderdaad, een paar uur later zitten we in ons droomhutje van palmbladeren. Ondanks de uiterst primitieve leefomstandigheden – geen stromend water of toilet – lijkt dit wel het paradijs. Een oneindig strand bijna helemaal voor ons alleen, heerlijk eten, prachtige zonsondergangen, enkel en alleen het geluid van de golven, een schitterende sterrenhemel, zalig nietsdoen...

Tijdens ons verblijf op dit stukje Indisch paradijs ontmoeten we Pipo, een vreemde snuiter uit Italië. Hij was ooit met een Zwitserse getrouwd, maar hij kon naar eigen zeggen het leven in onze westerse samenleving niet meer aan. Hij maakt er geen geheim van dat hij al een paar keer is opgenomen in een psychiatrische instelling omwille van een drankprobleem en omdat hij manisch-depressief is. Tijdens een van die manische buien heeft hij ooit een telescoop gekocht. Hij was op reis in Mexico en had met deze dure aankoop in één klap bijna al zijn geld opgemaakt. Op een avond zat hij op een terrasje iets te drinken, terwijl hij ondertussen af en toe door zijn telescoop naar de maan keek. Verschillende voorbijgangers bleven geïnteresseerd staan en wilden ook eens kijken. Na een tijdje vulde het terras zich met mensen die stonden te wachten om een blik door de telescoop te werpen. Ondertussen deed de cafébaas gouden zaken. Op het eind van de avond trok Pipo zijn stoute schoenen aan. Hij stapte naar de cafébaas en stelde een deal voor: de hele avond gratis eten en drinken in ruil voor een vol terras. De volgende avond was weer een voltreffer. Dit scenario herhaalde zich een paar avonden na elkaar. Dan trok hij naar een volgende stad waar hij hetzelfde concept toepaste. Hij besloot zelf een kleine bijdrage te vragen aan de mensen die naar de maan wilden kijken. Met dit geld kon hij weer verder reizen.

Zo leren we Pipo kennen in het kleine restaurantje naast ons hutje van palmbladeren. Op het eerste zicht lijkt hij normaal, maar wanneer hij ons aankijkt, merken we een wilde blik in zijn ogen. Er zijn duidelijk serieuze kosten aan die kerel, maar het is niet omdat iemand anders is, dat we hem onmiddellijk veroordelen. We zijn tijdens onze reis wel meer vreemde vogels tegengekomen. We beginnen te babbelen over van alles en nog wat en ontdekken een gemeenschappelijke passie:

sterrenkunde. Tegen een kleine vergoeding wil hij ons een paar lessen astronomie geven. Hij blijkt enorm veel te weten over planeten en sterren en heeft zelfs sterrenkaarten bij. Wanneer ik hem een glas bier wil aanbieden, weigert hij met klem. Alcohol bij volle maan maakt hem behoorlijk agressief, vertelt hij ons. Slik! Hij heeft ze toch echt niet alle vijf op een rijtje. Gelukkig drinkt hij dus die avond niet, maar hij steekt wel de ene joint na de andere op. Hij vraagt of ik ook wil smoren en ik neem een paar trekjes. Naarmate het later wordt, begin ik me steeds minder op mijn gemak te voelen. Ik had nooit samen met die man mogen smoren. Niet omdat hij door en door slecht zou zijn, maar nu ik high ben, voelt hij écht wel vreemd aan. Ik was ondertussen natuurlijk al lang vergeten dat ik me had voorgenomen nooit meer drugs te gebruiken met mensen die ik niet ken. Het is verdorie niet gemakkelijk om aan de verleiding te weerstaan en je eigen beloftes en beslissingen te respecteren!

Tijd om te gaan slapen. We spreken af dat we de volgende nacht aan onze cursus astronomie beginnen. Wanneer we naar bed gaan in ons hutje, krijg ik paranoïde gedachten. Die man is een waanzinnige, een gevaarlijke zot. Bovendien is het volle maan. Misschien verandert hij wel in een weerwolf! Op dat moment hoor ik de hond van het restaurant – ik hoop tenminste dat het de hond is – huilen. Dan denk ik terug aan die wilde blik, die harige voorarmen, die opgekropte agressie. Nu word ik echt bang. Tika probeert me een beetje te kalmeren, maar voor alle zekerheid sluit ik toch de deur – of wat ervoor moet doorgaan – stevig af met een fietsslot. Ik kruip in bed, maar kan niet in slaap geraken. Het licht van de volle maan schijnt door het dak van palmbladeren op mijn gezicht. Mooi is het wel, maar gezien de omstandigheden niet echt rustgevend. Plots hoor ik verschillende honden rondlopen op het strand. Waar komen die vandaan? Mijn hart bonst in mijn keel wanneer een van de honden aan de deur krabt en probeert binnen te komen. Gelukkig zit de deur goed dicht. Oef! Met een diepe zucht val ik uiteindelijk in slaap. De volgende ochtend moet ik zelf lachen om mijn gestoorde gedachten. Pipo een weerwolf, hoe kom ik er in godsnaam bij? Dat komt ervan als je met mensen smoort met wie je je zo al niet volledig op je gemak voelt. Wanneer Tika even later iets wil oprapen dat onder het bed is gevallen, kijkt ze verschrikt op. Onder het bed, dat gewoon in het zand staat, is vannacht een kuil gegraven... groot genoeg om als slaapplaats te dienen voor een enorme hond!

Vrees niet!

Hoe banger je voor iets bent,
hoe groter de kans dat het zich manifesteert.
Je angst trekt het immers aan als een magneet.
Alle heilige geschriften van om het even welke religieuze traditie
bevatten deze duidelijke oproep: Vrees niet!
Denk je soms dat dit toevallig is?
vrij naar N.D. Walsch

Seth spreekt

Na onze trekking in Nepal rusten we uit in Pokhara, een stadje bij een schitterend meer aan de voet van hoge bergpieken. We slapen in een klein hotelletje met een paar vreemde gasten. Er is Manollo, een gekke Italiaan met zijn hondje Pipo. Mijn vriendin en ik komen bijna niet meer bij van het lachen wanneer we terugdenken aan die andere Pipo, de Italiaanse weerwolf. Het grootste deel van het jaar woont Manollo in dit hotelletje. Hij komt aan de kost als tatoeëerder en vult zijn dagen met smoren, experimenteren met allerlei drugs en rollebollen met de vrouwen op wier arm of buik hij een kunstwerkje heeft gecreëerd. Deze getikte Italiaan nodigt ons uit op een *full moon party* aan de overkant van het meer. '*Thie moone, ita make you creezy*', brabbelt hij met een grappig 'Allo Allo'-accent. Het heeft wel iets, zo midden in de nacht bij volle maan in een klein bootje dit prachtige meer oversteken. De weerkaatsing van de maan in het bijna rimpelloze water, het zachte geklots van golfjes tegen onze roeiboot, de waterdruppels die als diamanten van de roeispanen in het meer rollen. Het heeft iets onwezenlijks. De party zelf kan mijn hoge verwachtingen niet echt inlossen, maar de sfeer is wel heel speciaal. Spijtig genoeg eindigt het feestje abrupt wanneer een paar ladderzatte *locals* met elkaar op de vuist gaan en er eentje een mes trekt.

Op een goeie dag waait er een opvallende verschijning binnen in ons hotelletje. David is het prototype van een overjarige hippie. Lang grijs haar, een baard die sinds mei '68 niet meer geschoren lijkt en uiteraard de obligate Jezusslippers. Hij is een innemende man van vooraan in de vijftig en de vriendelijkheid zelve. De halve wereld is hij al rondgereisd en hij heeft van alles geleerd over de manier waarop inheemse volkeren omgaan met bewustzijnsveranderende planten. Benieuwd wat ik van hem kan leren.

Hij legt mij uit op welke manier hij af en toe wiet rookt. 'Om te beginnen,' vertelt hij, 'blow ik alleen wanneer ik een concrete vraag of probleem heb. Eerst doe ik een ontspanningsoefening of mediteer ik. Dan vul ik de kop van een speciaal, metalen pijpje met pure wiet. Het effect is zuiverder dan een joint met tabak, en bovendien voorkom je dat je verslaafd geraakt aan sigaretten. Het probleem met wiet is dan weer dat je tegenwoordig niet meer weet hoe sterk de cannabis die je koopt eigenlijk is. Het THC-gehalte kan variëren van een paar procent tot wel twintig procent. Eigenlijk weet je dus niet of je dosis vergelijkbaar is met die van een glas bier of een glas wodka. Daarom ga ik steevast voor wiet die buiten gekweekt is en niet opgefokt. En waarom niet lekker biologisch, zonder pesticiden en insecticiden? Of wil je soms rommel in je hersenen?' Dankzij een ingenieus systeem wordt tijdens het roken de lucht eerst door een soort buisjesstelsel gezogen, waardoor een groot deel van de teer aan de binnenkant van de pijp blijft plakken. Een waterpijp helpt natuurlijk ook om minder ongezond te roken. 'De minst schadelijke manier om wiet te roken ontdekte ik in Nederland,' gaat hij verder. 'Een verdamper verhit de wiet, waardoor de THC vrijkomt nog voor hij verbrandt. Op die manier krijg je geen verbrandingsgassen (bijvoorbeeld teer) binnen. Wist je trouwens dat cannabis ook medische eigenschappen heeft? Sommige mensen gebruiken cannabis immers niet (alleen) voor hun plezier. Cannabis kan patiënten helpen met kanker (na chemo), anorexia nervosa, multiple sclerose, chronische rugpijn, migraine, stress, astma, glaucoom enzovoort.'

'Voordat ik de pijp aansteek,' vertelt David, 'herhaal ik voor mezelf waarom ik ga blowen. Enkele trekjes aan mijn pijpje volstaan om de lift te nemen naar een hoger niveau. Meestal krijg ik daar een antwoord op mijn vraag of een inzicht in mijn probleem. Het is vooral de sterkte van de intentie die bepaalt of je er effectief iets uit kunt leren. Vroeger ging ik op een totaal andere manier met drugs om. In de westerse maatschappij worden drugs tegenwoordig geconsumeerd als snoepgoed. Met alle negatieve gevolgen van dien.'

Een andere vaste gast van ons hotelletje is Helmut, een wel heel ongewone Duitser. Ook hij is zowat permanent onder invloed van wiet en besteedt het grootste deel van de dag aan nadenken over de aard van de werkelijkheid en aan zware, maar soms wel interessante metafysische discussies voeren. Wat deze jonge kerel fascinerend maakt, is zijn gezondheidstoestand. Toen Helmut achttien was, werd hij geopereerd van een hersentumor, waarbij zijn hypofyse beschadigd werd. Hij zou de rest van zijn leven dagelijks zware medicijnen moeten nemen om zijn metabolisme in evenwicht te houden. Hij is nu 26 en vertrok een half jaar geleden op wereldreis. Zijn zus stuurde elke drie weken zijn speciale medicatie op via de post. Een paar maanden geleden echter kwam het postpak met zijn levensnoodzakelijke medicijnen niet aan. Helmut had de keuze: terugkeren naar huis of... sterven. Omdat hij nog liever doodviel dan zijn wereldreis te onderbreken, besloot hij te blijven ondanks alle gezondheidsrisico's. De eerste twee maanden viel hij twintig kilo af, zodat hij graatmager werd. Toen gebeurde er iets onverklaarbaars. Zijn toestand stabiliseerde zich en hij kwam zelfs weer een beetje bij. 'Een medisch wonder' zou een specialist het noemen toen hij zich later in Duitsland liet onderzoeken.

Deze atypische Duitse filosoof had onlangs een boek gelezen dat hem inspireerde tot zijn besluit om definitief te stoppen met zijn pillen. *Seth spreekt* is de titel van dit vreemde boek. Het dateert uit de jaren zeventig en is geschreven door een zekere Jane Roberts, een Amerikaans medium. De eigenlijke schrijver zou een geest zijn die naar de naam Seth luistert en die haar dit boek heeft gedicteerd, terwijl ze in trance was. Nu heb ik daar persoonlijk wel mijn bedenkingen bij, maar ik sta altijd open voor nieuwe ideeën, of ze nu gestoord zijn of niet. Kort samengevat gaat het boek over de aard van de werkelijkheid. De stelling is dat dé werkelijkheid niet bestaat, maar dat iedereen letterlijk elk ogenblik zijn eigen werkelijkheid creëert en daarvoor dan ook volledig verantwoordelijk is. Ofwel vind je dit klinkklare onzin, ofwel ga je er bij wijze van filosofisch experiment even van uit dat dit waar is. Ik kies voor het laatste en de gevolgen overstijgen mijn stoutste verwachtingen. Een paar weken later kom ik namelijk toevallig dit boek tegen in een boekenantiquariaat. De nieuwsgierigheid jaagt door mijn geest. Ik kan amper wachten om te ontdekken waar onze Duitse vriend nu zo weg van was.

Op een avond zit ik helemaal alleen een wietpijpje te roken bij een vuurtje. Ik ben helemaal in de ban van dit boek en staar in de vlammen terwijl ik de volle betekenis ervan tot mij laat doordringen. Al van kindsbeen af heeft vuur een speciale betekenis voor mij. Wanneer ik me verveelde op zondagavond, kon ik mij uren bezighouden met de open haard. In het vuur poken, nieuwe houtblokken opleggen en naar de dansende vlammen staren. Ook vanavond zendt het vuur een hypnotiserende kracht uit. Dan gebeurt er ineens iets merkwaardigs. Ik ben diep verzonken in mijn gedachten, wanneer er plots een stem in mijn hoofd weerklinkt. Een vriendelijke stem, dat wel, die mij een dieper inzicht geeft in de filosofie van dit boek. Maar ook behoorlijk beangstigend om vast te stellen dat je niet meer alleen bent in je eigen hoofd. Want zo voelt het ook aan. Dit is duidelijk geen innerlijke dialoog, geen gezellig gesprekje tussen mezelf en mijn gedachten. Neen, dit lijkt wel iemand anders. Maar wie of wat dan wel? Onmiddellijk denk ik aan Seth, de geest die zogezegd dit boek heeft gedicteerd. Ben ik nu helemaal zot aan het worden? Straks beland ik nog in het gekkenhuis! Wie is die Seth trouwens? Is dat een goede of een slechte geest? En kan die zomaar inbreken in mijn gedachtewereld? Wanneer ik bedenk dat Seth ook de naam is van een Egyptische godheid die uit jaloezie zijn broer heeft vermoord en in stukken gesneden, slaat de schrik mij om het hart. Even denk ik dat mijn stoppen zullen doorslaan. Eén ogenblik word ik mij bewust van de toestand waarin ik mij bevind. Net voldoende om te beseffen dat ik niet mag toegeven aan de angst of dat dit mijn geestelijke gezondheid serieuze schade kan toebrengen. Ik zie maar één uitweg: in dialoog treden met de stem. Al bij al lijkt het de kwaadste nog niet en vluchten kan toch niet meer. Ik verzamel al mijn moed en zeg in gedachten tegen de stem dat ik de wijze raad en inzichten wel kan appreciëren, maar dat ik het vreselijk akelig vind om niet meer alleen te zijn in mijn eigen hoofd. Ik vraag de stem om te vertrekken en zich niet meer te laten horen totdat ik ze zelf roep. Tot mijn verbazing gebeurt dit ook. 'Oké,' zegt de geest en dan is de stem verdwenen. Alsof iemand een schakelaar heeft overgehaald. Oef! Dat was even schrikken! De rest van de avond blijf ik wel op mijn hoede omdat ik bang ben dat de geest zich alsnog zou bedenken en opnieuw zijn intrek zou nemen in mijn bovenkamer. Ik kan me goed voorstellen dat sommige mensen helemaal doorslaan wanneer er zoiets gebeurt en dat ze de controle over de stem in hun hoofd verliezen.

Sinds dit voorvalletje heb ik het boek bewust aan de kant gelegd en heb ik een hele tijd niets meer gesmoord. Ik wil mijn brein de tijd te geven om opnieuw tot een gezond, psychisch evenwicht te komen. Het is verrassend welke toeren een beetje wiet in bepaalde omstandigheden met je geest kan uithalen. Hieraan merk je duidelijk dat niet alleen de drug zelf, maar ook de context een zeer belangrijke rol speelt. Wiet, en zeker sterke met een hoog THC-gehalte, kan onverwerkte emoties, verdrongen angsten of zelfs trauma's naar boven halen. Wat een ontspannen jointje moest worden, kan dan plots ontaarden in een angstige bad trip. Je weet immers nooit met zekerheid hoe je geest zal reageren op bewustzijnsveranderende drugs. Misschien reageer je zoals de sneeuw in zo'n schudbol. Als je schudt, dwarrelt alles na een poosje rustig weer min of meer op zijn plaats. Maar misschien raakt de drug een gevoelige snaar en krijg je het effect van een blikje cola waarmee eens goed geschud is. Wat ga je doen als alles alle kanten opspuit? Zonder professionele hulp kun je het dan wel 'schudden'!

Licht

Hij wiens gezicht geen licht geeft,
zal nooit een ster worden.
William Blake, *Proverbs of Hell*

Sterren in de woestijn

Tika en ik reizen nu al drie weken door Radzjasthan, in het noorden van India. Het is mijn verjaardag en daarom logeren we in een 'duur' hotel. Vijftien euro per nacht, drie keer meer dan normaal, voor een soort appartementje in een historisch koopmanshuis in Jaisalmer, een ommuurde stad aan de rand van de woestijn, waar vroeger alle karavanen passeerden. In de meeste hotels proberen ze je een kamelensafari aan te smeren. We willen er ook wel een doen, maar niet met om het even wie! Volgens onze reisgids moeten we bij *the one and only Mr. Desert himself* zijn. Een heel bizarre kerel van een jaar of 45 met knalgroene ogen, zeer opvallend en uitzonderlijk hier in India. Hij is ex-truckchauffeur en ex-fotomodel voor een bekend, internationaal sigarettenmerk. Op een goeie dag had hij er genoeg van en is hij woestijngids geworden. Hij speelt sinds jaar en dag solo slim en wil zich niet verbinden aan een hotel. Daarom wordt hij door nogal wat *locals* scheef bekeken. Mr. Desert is echter een heel eigenwijze kerel die perfect weet wat toeristen verlangen: waar voor je geld en afspraken nakomen. Iets wat in deze toeristische regio verre van evident is.

In tegenstelling tot wat sommige mensen denken, is wiet wel degelijk illegaal in India. Als je betrapt wordt, beland je misschien niet onmiddellijk in de gevangenis, maar het zal je wel handenvol dollars aan smeergeld kosten om op vrije voeten te blijven. Kijk dus zeker uit je doppen! Het zou niet de eerste keer zijn dat de dealers en de politie onder één hoedje spelen. Een plaatselijke dealer biedt jou wiet aan. Jij betaalt ervoor en eventjes later word jij aangehouden door de politie. Die neemt de wiet in beslag (die keert terug naar de dealer) en dreigt met gevangenisstraf tenzij je zwaar afdokt.

In plaats van wiet te kopen probeer je beter de juiste *vibrations* uit te zenden. Dan kom je met een beetje geluk wel juiste mensen tegen. Volgens bepaalde Indische tradities is wiet roken gewoonweg slecht voor je lichaam en je geest. Daarvoor is deze heilige plant immers niet bedoeld. *Bangh* (wiet) is immers een krachtig medicijn dat je correct moet gebruiken. Als je wiet rookt, gaat alle energie van je lichaam naar je hoofd. Wij, westerlingen, zitten in ieder geval al veel in ons hoofd. Smoren maakt dat we nog meer gaan denken, denken, denken. Bangh wordt verwerkt in *lassie*, een soort yoghurtdrank, of in een koekje. In Radzjasthan is het gebruik van bangh in zijn traditionele bereiding wél legaal. Het wordt vooral gebruikt ter gelegenheid van religieuze feesten. Het lijkt me interessant en passend binnen de plaatselijke traditie om eens een *bangh cookie* te eten in de woestijn.

Ik heb me laten vertellen dat ik net buiten de stadspoort aan mijn gerief kan geraken. Wanneer ik aan een stalletje vraag waar ik *bangh cookies* kan vinden, kijkt de man verbaasd op. Op een geheimzinnige toon begint hij met een andere venter te discussiëren. Na een tijdje legt hij me uit dat er vandaag normaal gezien geen speciale koekjes verkocht worden. Ik heb er natuurlijk geen rekening mee gehouden dat er geen religieus feest is. Maar Indiërs, vooral die van Radzjasthan, zijn gewiekste zakenlui. Voor een toerist, wie ze gemakkelijk het vijfvoudige van de prijs kunnen aanrekenen, maken ze graag een uitzondering. De verkoper verdwijnt en tien minuten later kan ik zoveel koekjes kopen als ik maar wil. Ik houd het voorzichtig op twee. De man is aangenaam verrast wanneer ik hem vertel dat ik ze 's nachts in de woestijn wil nuttigen.

De volgende dag zetten we met een groepje van tien
koers naar de woestijn. De eerste dag rijden we rond
ten jeeps en bezoeken we een historische begraafplaats van de maharadja's, verschillende indrukwekkende Hindoe- en Jaintempels en doorkruisen we een dor en onherbergzaam landschap. In de loop van de namiddag komen we aan bij wat een mens zich zoal bij een woestijn kan voorstellen. Zand, zand en nog eens zand, zover je kunt kijken. Daar wachten ons, perfect getimed en georganiseerd, kamelen en hun drijvers op. Onze reisgids zat er dus niet naast. We bestijgen onze kameel. Zo'n beest is verdorie serieus breed en doet geen deugd aan je edele delen. Vooral niet als 'het schip der woestijn' plots wild begint te galopperen. Kamelen zijn ook behoorlijk koppige dieren met karakter. Het siert hen wel, vind ik. Op een bepaald moment zijn we getuige van een meningsverschil tussen een drijver en zijn kameel. Kunnen die beesten brullen, zeg!

Tegen valavond komen er roze zandduinen in zicht. Adembenemend! Ik sukkel van mijn kameel en wandel blootsvoets in het zachte zand. De ondergaande zon zorgt ervoor dat alle koppeltjes in de groep zich wat afzonderen en liefkozend genieten van deze romantische avond. Mr. Desert geniet mee. Zodra de zon achter de horizon verdwenen is, daalt de temperatuur pijlsnel. Ondertussen hebben de kamelendrijvers al een kampvuur gemaakt en zijn ze beginnen te koken. Het is al aardedonker wanneer we van een pikant Indiaas stoofpotje kunnen genieten. Het is een wonder hoe ze het klaarspelen, met alleen wat verroeste oude potten en pannen op een kampvuur. Bij de *chai* (overheerlijke thee met specerijen en melk) eet ik een *bangh cookie*. Omdat het de eerste keer is en ik de sterkte ervan niet ken, begin ik met een halfje. Dit is trouwens een gulden regel bij om het even welke drug die je wilt testen.

Na het eten maken de kamelendrijvers aanstalten om naar hun eigen kampvuur iets verderop te vertrekken. Gelukkig zitten er in onze groep twee meisjes die Hindi spreken. Daarom blijven er een paar gidsen bij ons hangen. Een van de twee meisjes is van oorsprong Indiaas, maar werd als baby geadopteerd in Engeland. Deze reis is voor haar een zoektocht naar haar oorsprong. Wanneer een van de kamelenbegeleiders vraagt wat haar oorspronkelijke familienaam is, springt hij enthousiast op. Die familienaam komt veel voor in Jaisalmer. Een paar dagen later vindt het meisje haar familie terug. Ontroerend! Haar vriend is een Franse etnoloog. Hij heeft een dictafoon bij zich en vraagt aan een drijver om te zingen. Wanneer de etnoloog iets later het lied van de kamelenman laat afspelen, kijkt die alsof de Fransman kan toveren. Tot drie keer toe moet hij het lied opnieuw laten horen. De moderne technologie is duidelijk nog niet tot in de verre uithoeken van de woestijn doorgedrongen.

We zitten aan de voet van de roze duinen in een grote cirkel rond het kampvuur. We vertellen verhalen, zingen en lachen. Ondertussen voel ik dat mijn koekje begint te werken. Alles voelt zeer intens aan en ik geniet van de sfeer. Tijd om een wandelingetje te maken. Ik ben nog maar een goeie dertig meter verder, maar wanneer ik omkijk, lijkt het kampvuur nog slechts een vaag schijnsel in de verte. De leegte vóór mij voelt zeer vreemd aan en ik ben nog nooit zo alleen geweest. Gelukkig houden de ontelbare sterren mij gezelschap. Tezelfdertijd doet dit mij beseffen dat onze aardkluit met een duizelingwekkende snelheid door dit universum raast en dat het enige wat ons beschermt niets meer is dan een laagje lucht.

Terwijl ik zo zit te mijmeren, valt mijn oog op een ster die beweegt. Eerst denk ik dat het een satelliet is, maar plots beweegt de ster niet meer. Na een tijdje begint ze weer te bewegen. Dit is duidelijk niet normaal. Ik concentreer me op de ster en in gedachten zeg ik: stop. De ster stopt met bewegen! Van opwinding gaat mijn hart sneller slaan. Omdat ik nog steeds besef dat ik een banghkoekje gegeten heb en dat mijn waarneming mij misschien parten speelt, bedenk ik een experiment. Ik concentreer me opnieuw op de ster. Dan zeg ik in gedachten: start. De ster begint opnieuw te bewegen! Rustig blijven, denk ik bij mezelf, rustig blijven, je beeldt je gewoon alles in. Nu komt de échte test. 'Stop!' beveel ik nu hardop. De ster stopt ogenblikkelijk. Ik sta aan de grond genageld en begin nu pas écht te flippen. Het contact met die ster is immers zo intens geworden, dat ik er een angstkick van krijg. Nu ben ik pas écht 'bangh'. Omdat ik ieder ogenblik opgeslokt vrees te worden door buitenaardse wezens, spurt ik terug naar het kampvuur.

In de cirkel om het kampvuur duik ik opnieuw in deze veilige en vertrouwde realiteit. Tika kijkt me onderzoekend aan en vraagt wat er aan de hand is. Dat wil ik haar pas de volgende ochtend vertellen. Even later is het tijd om te gaan slapen. We liggen op een dikke mat, toegedekt met een hele stapel dekens want het is ondertussen ijskoud geworden. Het duurt nog een tijdje voor ik in slaap geraak. Ik kan maar niet genoeg krijgen van de adembenemende pracht van de sterrenhemel. Gelukkig houden de sterren zich de rest van de nacht koest en maken ze geen verdachte bewegingen meer. Straffe kost, die *bangh cookies...*

Hocus-pocus

Het feit dat de rationele mens
koste wat het kost
zijn zelfbeeld in stand wil houden,
stelt zijn bodemloze onwetendheid veilig.
Hij negeert het feit dat sjamanisme
geen bezweringen en hocus-pocus is,
maar de vrijheid om niet alleen de wereld
zoals wij die kennen
en die wij als vanzelfsprekend aannemen
waar te nemen,
maar alles wat menselijkerwijs mogelijk is.
Hij beeft bij de mogelijkheid van vrijheid.
En deze ligt binnen handbereik.

Carlos Castañeda

Licht in de duisternis

Het is ondertussen meer dan vijf jaar geleden dat we na onze wereldreis van een jaar weer in de Belgische samenleving doken. Ik voel dat ik op professioneel vlak een totaal nieuwe stap moet zetten, maar ik heb geen flauw idee wat ik eigenlijk echt wil doen. Deze situatie sleept al maanden aan en ik word er een beetje moedeloos van. Niets heeft nog zin en ik kan nog nauwelijks genieten. Ik worstel bijna dagelijks met de ondraaglijke lichtheid van het bestaan. Is dit nu een midlifecrisis? Ik ben verdorie nog geen veertig! Elke dag komen er meer vragen dan antwoorden. Ik moet iets doen. Maar wat? Wat interesseert er mij nu fundamenteel? Waar draait het allemaal om? Bewustzijn! Op elk moment beseffen dat je leeft in plaats van het grootste deel van de tijd over het verleden of over de toekomst na te denken. Hier en nu zijn. Dat is de sleutel! Hoe je daartoe komt, lees je in *De kracht van het nu* van Eckhart Tolle.

Wat mij ongelofelijk fascineert, zijn de ongekende mogelijkheden van ons brein, waarvan we maar een fractie benutten. Veranderde bewustzijnstoestanden hebben me al van kleins af gefascineerd. Toen ik als elfjarige astronaut wou worden, wilde ik eigenlijk al nieuwe universa verkennen. Alle facetten van de menselijke geest, andere culturen, vreemde talen, oosterse filosofie, mystiek, conceptuele kunst... Als kind hoorde ik regelmatig zeggen: 'Je zult later wel inzien dat het leven zus en zo in elkaar zit.' In mijn binnenste heb ik toen altijd gedacht: Maar mijn leven zal anders zijn. Het heeft wat geduurd voordat ik mijn leven echt zelf in handen genomen heb. Onze wereldreis was de katalysator. De ayahuasca-sessie in Peru heeft echt mijn ogen geopend. De sterkste les van onze wereldreis was het besef dat ik zelf een cultuur heb. Ik werd me hiervan bewust door de confrontatie met culturen die totaal verschillen van die van mij. Dingen waarvan ik dacht dat ze vanzelfsprekend waren, bleken in een andere cultuur totaal anders of zelfs onbestaande. Ik ontdekte dat mijn denken en handelen ongelofelijk geconditioneerd waren door de soms enge visie van mijn eigen, westerse cultuur. Pas toen ik ging beseffen welke de tekortkomingen waren van mijn cultuur, kon ik ten volle de lessen van de andere cultuur ontvangen.

Al surfend kom ik op de site van het centrum Takewashi in Peru terecht. Toevallig of niet wordt er een paar maanden later een seminarie voor buitenlanders georganiseerd. Hoewel de hele operatie mij veel geld zal kosten – niet alleen de cursus, maar ook de reis en het hotel – en ik nog misselijk word wanneer ik aan de zeven uur durende kotssessie terugdenk, neem ik nogal snel het besluit om terug naar Peru te reizen. Het is een vreemde situatie. Aan de ene kant heb ik het gevoel dat ik verplicht ben om dit te doen, aan de andere kant wil ik niets liever dan zo snel mogelijk vertrekken. Gelukkig steunt Tika me in mijn plannen.

Ik moet een heleboel papieren invullen voordat ik een aanvraag tot deelname kan indienen. Aangezien we al eens een kort programma gevolgd hebben en Jacques zich mij herinnert, wordt mijn kandidatuur voor het seminarie zonder problemen aanvaard. Via het internet boek ik een goedkoop ticket Brussel - Barcelona - Madrid - Lima - Tarapoto. Er zitten twee overnachtingen tussen. In Barcelona kan ik terecht bij de zus van de vriendin van een vriend en in Lima kan ik opnieuw bij de familie van Lieva blijven slapen. Het afscheid in Zaventem valt dik tegen. Het is de eerste keer in jaren dat ik alleen op reis vertrek en de allereerste keer dat ik Tika en mijn dochtertje drie weken zal moeten missen. Tot mijn grote verbazing ben ik zo ontroerd dat ik tranen met tuiten huil. Ik begrijp totaal niet wat er met mij aan de hand is.

Barcelona. Het is al na negen uur 's avonds, maar het is nog steeds warm in deze prachtige stad van Gaudí en Dalí. Op de Plaza de Cataluña is er een manifestatie tegen de oorlog in Irak bezig. Overal branden kaarsen en honderden mensen staan te zingen en maken er een gezellige boel van. Na wat zoeken vind ik het appartement. Er wacht mij een wel zeer aangename verrassing. Mijn Spaanse gastvrouw blijkt een ongelofelijk knappe vrouw van vooraan in de twintig. Lang, zwart krullend haar, donkere ogen, bruine huid. Ze werkt in een reclamebureau en is zeer geïnteresseerd in wat ik in Peru ga doen. Omdat ik de volgende ochtend weer vroeg op moet, kruip ik een paar uur later al in bed en droom over hoe deze avond zou zijn afgelopen indien ik tien jaar jonger was en geen vrouw en kind had.

Tijdens de lange vlucht van Madrid naar Lima zit ik naast een Peruaanse psychiater die net terugkomt van een seminarie in Zwitserland, gesponsord door een of andere farmaciereus. Ook hij heeft grote interesse in het gebruik van inheemse planten. In Lima volgt een blij weerzien met oude vrienden. Spijtig genoeg moet ik de volgende ochtend al terug naar de luchthaven. Na een uurtje vliegen landen we in Tarapoto. De warme, vochtige geur van de jungle roept herinneringen op aan vroeger. Wanneer ik aankom in het hotelletje, ontmoet ik twee Françaises. De ene is therapeute en de andere heeft, net als ik, al flink wat geëxperimenteerd met verschillende drugs, is geïnteresseerd in veranderde bewustzijnstoestanden en wil ook iets bijleren over zichzelf. Zo ontmoet je nog eens leuke mensen. De volgende dag begint het seminarie. We zijn in totaal met twaalf deelnemers: drie Belgen, een Peruaan en de rest zijn Fransen.

Net als vijf jaar geleden beginnen we met de inname van een groot glas kokosmelk met een laxeermiddel. Ik krijg weer het gekende spaceshuttlegevoel. De dag nadien nemen we opnieuw *yawar panga*, een plant die voor een natuurlijke maagspoeling moet zorgen. Het braken gaat stukken makkelijker dan vorige keer omdat ik mij nu niet meer verzet. Echt aangenaam is het echter niet. Een paar dagen later slikken we nog een andere plant met een vergelijkbaar effect. Een mens moet er wat voor over hebben! Deze keer zit er geen uil onder het dak van de *maloka*, maar vliegen er vleermuizen rond. Volgens een sjamaan wijst dit op zwarte magie. Een van de deelnemers aan het seminarie begint al serieus door te slaan en ziet ze letterlijk de hele avond vliegen.

De volgende avond is het zover. De eerste ayahuasca-sessie. De voorbereidende rituelen komen al vertrouwd over. Dan gaan de lichten uit en begint de sjamaan te zingen. Je ziet nog alleen de schimmen van de andere deelnemers en je hoort nog alleen de nachtelijke geluiden van de jungle. Ik ben blij dat ik hier weer zit. Benieuwd ook welk avontuur ik deze keer ga beleven in mijn hoofd. Dan begint het. Het eerste monster verschijnt. En het heeft zijn vriendjes meegebracht. Omdat ik mij er psychisch op heb voorbereid, voel ik geen angst. Ik probeer ze van op afstand te observeren. Afschuwelijk lelijk zijn ze: draken, ongedierte, rottende gezichten, duivels, net of ik midden in een horrorfilm beland ben. Helemaal niet leuk en erg vermoeiend. Door me te concentreren op de prachtige liederen van Jacques en Lucio, de andere sjamaan, worden mijn gedachten positiever. De gezangen klinken ontroerend mooi en ik voel een enorme dankbaarheid. Deze dankbaarheid gaat over in een immens geluk. Geluk wordt euforie. De euforie vloeit over in pure extatische liefde. Zoveel liefde dat het bijna ondraaglijk wordt. Tranen rollen onhoudbaar over mijn wangen. Mijn hart gaat open. De liefde stroomt eruit en vult de omgeving. Een onbeschrijflijk hemels geluk. Nooit geweten dat een mens zoveel liefde kon voelen! Na een tijdje ebt het zalige gevoel langzaam weg.

Mijn darmen rommelen. Tijd voor een korte wandeling. Op handen en voeten kruip ik naar Jacques en zeg hem dat ik even '*al baño*' moet. Ik stap uit de veilige cirkel en ga zonder angst naar buiten. Het maanlicht schijnt door de bomen. Alles baadt in een vreemd licht. De bomen en planten zijn heel intens aanwezig. Ze leven, dat is duidelijk. Ik kom op een open plek en kijk omhoog naar de sterrenhemel. Wonderlijk mooi! Ik moet me echt concentreren om niet te vergeten waar ik ben en wat ik van plan was. Op het toilet knip ik het licht aan. Het doet pijn aan mijn ogen. Wanneer ik naar de zwart-witte tegels op de vloer zit te staren, beginnen ze op en neer te bewegen. Tijd om terug te keren naar de groep voordat de monsters terugkomen en ik in paniek sla. Voor ik opnieuw in de kring mag komen, voert Jacques een speciaal reinigingsritueel uit. Hij neemt een slok geparfumeerd wijwater in zijn mond en vernevelt het met grote kracht over mijn hoofd en handen. Dan maakt hij kruistekens op mijn borst en rug. Alsof ik de duivel zelve was. Dat katholieke gedoe moet je er hier wel bijnemen. Als je echt gelooft dat er een god bestaat, lijkt het mij trouwens niet meer dan logisch dat ook zijn tegenpool de duivel of het kwade bestaat. En dat is dan het begin van een eindeloos gevecht tussen goed en kwaad. Zelf leun ik eerder aan bij de boeddhistische filosofie die goed en kwaad overstijgt. Ik geloof dat er meer is tussen hemel en aarde dan wat je met je vijf zintuigen kunt waarnemen en wetenschappelijk kunt verklaren. Sinds ik voor mezelf beslist heb dat toeval niet bestaat, is mijn leven er trouwens een stuk interessanter en spannender op geworden. De rest van de sessie verloopt rustig. Die nacht kan ik moeilijk in slaap geraken, hoewel ik doodmoe ben en het al vier uur 's ochtends is. Wanneer ik mijn ogen sluit, zie ik immers een onophoudelijke stroom van wonderlijke kleuren en enorme, dansende slangen.

Het programma omvat ook een retraite diep in de jungle. We gaan vier dagen vasten in volledige afzondering. De laatste dagen heeft het stevig geregend en het riskeert erg modderig te worden. Daarom kunnen we in het centrum gummi laarzen lenen. Voordat ik ze aantrek, kijk ik snel even of er geen ongedierte in zit. Wanneer ik een paar stappen zet, voel ik een bobbel onder mijn linkervoet. Vliegensvlug trek ik de laarzen uit, draai ze om en schud ermee. Een hele familie kakkerlakken had haar intrek genomen in mijn schoeisel. Yek! Gelukkig was het geen tropische spin!

We stappen een paar uur langs een veldwegel die doodloopt bij een rivier. Normaal moeten we die kunnen oversteken. Vandaag is de stroming echter zo sterk dat onze gids een alternatieve route voorstelt. We klimmen een uur langs iets wat ooit een pad moet zijn geweest. Af en toe moeten we halt houden om uit te vlooien hoe we verder moeten. Iedereen baadt in het zweet en muggen en ander ongedierte storten zich op elke vierkante centimeter blote huid. Het is al erg duister in de jungle wanneer we uiteindelijk ons kamp bereiken. Elke deelnemer krijgt een *tambo* toegewezen, een strooien hutje zonder muren met een houten bed, een muskietennet en een hangmat.

Die eerste avond in de jungle staat er weer een ayahuasca-sessie op het menu. Daar gaan uiteraard weer enkele speciale rituelen aan vooraf. Bij de rivier kleden we ons uit. Lucio neemt een bosje brandnetels en wrijft me er helemaal mee in. Mijn huid staat in brand, maar de jeuk valt goed mee. Onmiddellijk daarna moet ik in de rivier onder een waterval gaan staan. Na tien minuutjes is de huidbrand gemilderd tot een stevige tinteling. Zo-even voelde ik mij nog slapjes, maar dankzij de brandneteltherapie zit ik weer barstensvol energie. Nog voordat de sessie begint, hangt er die avond een heel speciale sfeer in de *maloka*. Hier voel je echt de oerkracht van de jungle. Vannacht gaan er vast ongewone dingen gebeuren.

Gedurende de hele sessie voel ik mij erg instabiel. Het ene moment voel ik mij zalig, bijna zwevend, het volgende ogenblik zink ik in een diep moeras en lever ik strijd tegen tientallen monsters. Door de regen is het 's nachts ook erg fris. Ik heb enkel een T-shirt met lange mouwen aan en ik ril van de kou. Om het een beetje warm te krijgen zit ik de hele tijd met mijn opgetrokken benen te wiebelen. Ik vergeet de tijd. Plots stop ik met bewegen. Een vreemde kracht tilt me op en ik stijg op. Zwevend in de ruimte zie ik voor mij een prachtig licht in de vorm van een donut die op zijn kant ligt. De donut bestaat uit oneindig veel minuscule lichtjes in de meest fantastische kleuren die in het rond dansen. De hele donut draait om zijn as. Verbaasd vraag ik me af wat dit te betekenen heeft. Dan klinkt er, *out of the blue*, ineens een stem. 'Dit is een poort,' zegt de stem. Deze gelegenheid laat ik niet aan mij voorbijgaan. Ik ben immers in het gezelschap van twee professionele sjamanen die mij zeker terug naar deze realiteit kunnen brengen. Op het ogenblik dat ik de wens uitspreek, vlieg ik door de lichtpoort. Ik kom in een hemelse sfeer terecht. Zwevend bewonder ik prachtige kleuren. 'Luister naar mij!' De stem van daarnet klinkt nu plots wel heel dwingend en heel dichtbij. Nu verkeer ik niet onmiddellijk in een positie om ze het zwijgen op te leggen, dus luister ik braaf naar wat ze mij te vertellen heeft. 'Ik zal altijd bij jou blijven,' zegt een lieve, warme stem. 'Telkens wanneer je me nodig hebt, volstaat het aan mij te denken en ik zal bij jou zijn om jou te helpen.' Dan val ik plotseling weer in mijn lichaam en ik hoor de sjamaan zingen. Wat was dat allemaal? Was dit nu de hemel? En wie zou die stem geweest zijn? Een sjamaan zal ongetwijfeld vertellen dat ik contact heb gehad met de geest van de plant. Iemand die in een god gelooft, kan denken dat hij met die god zelf of met een engel gesproken heeft. Anderen zullen beweren dat het een boodschap van een innerlijke gids of helper is. Misschien is het wel gewoon de stem van mijn onderbewuste. Voor mij doet het er niet meer toe. Het enige wat telt, is wat ik ervaar. Het vreemde van de hele zaak is wel dat sinds dat ogenblik mijn intuïtie zeer goed functioneert. Soms lijkt het inderdaad alsof die stem er weer is en mij goede raad geeft.

Ik geniet voort van het gezang van Jacques en Lucio en van de geluiden van de jungle. Dan gebeurt er iets angstaanjagends. Normaal gezien wordt er, behalve door Jacques, gedurende de hele sessie geen woord gesproken. Plots klinkt er een luide schreeuw. Een onbekende, diepe stem brult: 'Ik ben de duivel en ik kom jou halen.' Omdat ik de stem niet onmiddellijk kan thuisbrengen en ik op dat ogenblik ook nog steeds onder invloed ben, krimp ik ineen van de angst. Het wezen dat daarnet geschreeuwd heeft, begint nu op een akelige manier te lachen.

Verschillende mensen beginnen tegelijkertijd over te geven. Ik probeer er geen aandacht aan te schenken en concentreer me op de gezangen van de sjamaan. Even later wordt duidelijk wat er aan de hand is. Naast de twee sjamanen is er die avond ook een jonge Fransman van een jaar of twintig bij die klaarblijkelijk een soort sjamanenopleiding volgt. De waanzinnige lach wordt nu onderbroken door hysterisch gegil van de Fransman: 'Neen, neen, dit wil ik niet!' Dan neemt de duivelse lach het weer over. Het lijkt wel alsof hij bezeten is! De tweestrijd is afschuwelijk. Dan schakelt Jacques over van zingen op bidden. Wat gaan we nu krijgen? Verliest hij de controle over deze sessie? Het lijkt wel alsof ik midden in de opnames van een horrorfilm terecht ben gekomen. Met dat verschil dat de nachtmerrie nu wel angstwekkend écht is. Ik begin in paniek te raken. Moet ik zelf ingrijpen? Gelukkig ben ik nog zo verstandig om mij niet met deze duiveluitdrijving te bemoeien. Na een tijdje vermindert het gebrul en begint Jacques weer te zingen. Oef! Ik heb opnieuw een houvast. De laatste woorden van de duivelse stem zijn: 'Ik kom terug!' Nog nooit ben ik psychisch zo geschokt geweest als tijdens de laatste sessie. Achteraf bekeken lijkt het natuurlijk allemaal wel overdreven en zelfs wat grappig, maar ik kan je verzekeren dat het op dat ogenblik pure ernst was.

Na deze bewogen sessie moeten we terug naar ons eenzame hutje. Door het lange vasten en de psychische uitputting kan ik nog amper op mijn benen staan. Ik moet mij laten ondersteunen om mijn *tambo* die bovenop een heuvel ligt, te bereiken. De horrorscènes van daarnet laten mij niet los. Ik zit hier helemaal alleen in de jungle en het is donker. Mijn diepste angsten kruipen omhoog. Op zo'n ogenblik besef je het belang van rituelen om weer tot rust te komen. Met een stevige stok trek ik drie cirkels rondom mijn hut. Op de vier windrichtingen leg ik een plukje tabak. Dan kruip ik onder mijn muskietennet en probeer in slaap te geraken. De angst gaat maar niet weg. Ik probeer dan maar een oefening die mij al eens eerder door de nacht geholpen heeft, toen ik helemaal alleen in een bos in de Ardennen overnachtte. Ik visualiseer een koepel van stralend wit licht dat zich uitstrekt tot de buitenste cirkel. Alles wat in deze cirkel probeert te komen, transformeert in iets positiefs. Deze oefening brengt me tot rust en ik val in een diepe, diepe slaap.

De volgende ochtend komt sjamaan Lucio, net als elke ochtend en avond, langs met één of ander bitter goedje. Ik krijg al een paar dagen na elkaar een puur lookdrankje. Van vampiers heb ik dus geen last gehad! Later die dag doet ook Jacques zijn ronde. We discussiëren over het gebruik van wiet. Hij is er sterk tegen, omdat hij vindt dat de gevolgen van het gebruik van deze drug op lange termijn zwaar onderschat worden. Sommige cannabisverslaafden kicken zelfs moeilijker af dan cocaïneverslaafden omdat ze minder gemotiveerd zijn om te stoppen.

Een dag later serveert Lucio me een aftreksel van nicotine. Ik schrik even bij de herinnering dat mijn vader deze vloeistof vroeger gebruikte als vergif tegen ongedierte, maar ik heb het volste vertrouwen in de plantenkennis van de sjamaan. De smaak valt gelukkig mee en doet me denken aan de sigaren van mijn grootvader. Groot is de verbazing van Lucio wanneer hij even later terugkomt en ik nog steeds niet heb overgegeven. Was dat dan de bedoeling, vraag ik onthutst. Die overdosis nicotine kraakt mijn hersens. De hele nacht heb ik last van brandend maagzuur en ik kan geen oog toedoen. Wanneer ik mijn ogen dichtdoe zie ik meer licht dan met mijn ogen open. Duizend en één gedachten schieten door mijn hoofd. Mijn brein zit in overdrive.

De volgende morgen rukt een leger reuzenbosmieren op in de richting van mijn hutje. Ze kruipen overal: op mijn bed, mijn muskietennet, mijn boeken, mijn kleren. De enige plaats die ze voorlopig nog ongemoeid laten is mijn hangmat. Overal mieren. Ik besluit mijn boeltje te pakken. Dan krijg ik een geschift idee. Ik heb ooit eens een schitterend boek over mieren gelezen. Nadat hij bijna zijn hele leven aan het bestuderen van deze insecten had gewijd, concludeerde de bioloog in kwestie dat er op aarde slechts twee intelligente diersoorten bestaan: de mens en de mier. Ik herinner me dat hij ergens uitlegt dat de mierenkoningin alle beslissingen voor de hele kolonie neemt. Daarom wandel ik in de richting van het enorme mierennest en spreek in gedachten tot de koningin. Je moet begrijpen dat een mens na een paar dagen isolatie, zonder eten en met een flinke dosis psychoactieve planten onder de hersenpan, soms vreemde experimenten onderneemt. Zoals altijd ga ik uit van het principe dat je, voordat je zegt dat iets klinkklare onzin is, het eerst een faire kans moet geven. Vraag me niet hoe het komt, maar ik slaag er op een of andere manier in om contact te krijgen met de mierenkoningin. Ik vraag haar met aandrang om mijn terrein te respecteren. Ze herinnert mij eraan dat ik van kleins af altijd mieren gepest en zonder reden vermoord heb. We sluiten een deal. Ze belooft haar leger terug te trekken op voorwaarde dat ik geen willekeurig geweld meer pleeg ten aanzien van het mierenvolk. Ik ga akkoord. Wat heb ik immers te verliezen? Ik ben benieuwd om te zien of mijn gesprek met de mierenkoningin nu effectief resultaten zal afwerpen. Omdat ik besef dat je zo'n leger mieren niet in één-twee-drie terug kunt trekken, daal ik af naar de rivier en neem een verkwikkend bad. Terug bij mijn hut doe ik een opvallende vaststelling. Het lijkt wel alsof het mierenleger aarzelt om mijn hangmat te bezetten. Halfweg het witte touw zijn ze tot stilstand gekomen. Ik installeer me gezellig en observeer wat er gebeurt. Een paar uur later hebben de meeste mieren zich teruggetrokken. Alleen een klein peloton blijft op het touw zitten. De volgende dag zijn ook zij verdwenen. Ongetwijfeld kun je hier ook een wetenschappelijke verklaring voor zoeken. Of je kunt je er met het magische woord 'toeval' vanaf maken. Hoe flauw! Wat gebeurd is, is gebeurd. En ik vind het in ieder geval schitterend.

We keren terug naar het centrum voor de laatste ayahuascasessie van het seminarie. Net als tijdens de vorige sessies krijg ik weer af te rekenen met een horde monsters. Bang ben ik al lang niet meer en ze beginnen serieus op mijn zenuwen te werken. Op een bepaald moment zweef ik boven een stinkend moeras. Door de verstikkende dampen kan ik amper ademhalen. Hier en daar kom ik weer zo'n vervelend monster tegen. Plots krijg ik een inzicht. Deze verstikkende sfeer creëer ik zelf. Dit is niet meer of minder dan mijn visie op de werkelijkheid. De parallel met mijn echte leven wordt nu overduidelijk. Ik kan niet meer genieten omdat ik niet meer naar de positieve kant van de dingen kijk. Ik zie enkel nog het glas dat halfleeg is en niet het glas dat halfvol is. Wanneer ik dit na de sessie aan Jacques uitleg, is hij blij dat ik ontdekt heb waarom ik de afgelopen twee weken zoveel afzichtelijke monsters heb gezien. Hij vertelt me een verhaal uit zijn jeugd. Op kamp met de scouts waren ze tijdens een daguitstap verloren gelopen in de bergen. Het was donker en koud en ze hadden honger. Ze waren doodmoe, ze zagen het totaal niet meer zitten en geraakten bijgevolg nog nauwelijks vooruit. Op een bepaald ogenblik zagen ze een klein lichtje in de verte. Ineens konden ze allemaal weer marcheren en vonden ze hun moed terug...

Wanneer de laatste afsluitende rituelen beëindigd zijn, is ons programma nog niet volledig afgelopen. Om de werking van de planten te laten doorwerken is het van het grootste belang dat we ons gedurende drie weken onthouden van seks, alcohol, vlees, koffie en suiker. Ik ben zo uitgeput dat ik met de eerste vier niet al te veel problemen heb, hoewel Tika het niet goed begrijpt. Wat wel een probleem vormt, is suiker. In onze maatschappij is het vrijwel onmogelijk geen suiker te eten of te drinken. Aangezien het dieet zeer streng is, dus ook geen fruit, beperk ik mij noodgedwongen tot water en kruidenthees. Zelfs in eten waarvan je het totaal niet zou verwachten zit suiker. Tijdens die drie weken kan ik aan den lijve ondervinden dat ons lichaam geen geraffineerde suiker nodig heeft. Nu begrijp ik die macrobiotische gasten al een beetje beter. Dan is het S-*day*. Bij wijze van experiment doe ik een stevige schep suiker in mijn thee. Het effect is onvoorstelbaar. Hoewel ik zelf nooit drugs gespoten heb, kan ik me nu goed voorstellen wat een 'rush' betekent. Na een tijdje voel ik de suiker letterlijk door mijn lichaam lopen. Mijn spieren voelen aan alsof ze van staal zijn. Een zo sterke ervaring had ik niet verwacht. Conclusie: we zijn hier in het Westen dus echt wel suikerjunkies!

De laatste nacht in Peru heb ik een heldere droom. Er wordt bij mij thuis aan de deur gebeld. Een jonge Indiër vraagt me of ik meekom voor een fietstochtje in de buurt. Op de straat staan de namen van de maanden geschilderd. De Indiër vertelt me dat ik een prijs kan winnen. Daarvoor moet ik gewoon de namen van de maanden volgen. We beginnen bij januari.

Wat verder februari, maart enzovoort. Het is een stralende dag en ik geniet van het landschap. Heel even ben ik afgeleid en ik merk tot mijn verbazing dat na juli opnieuw juni komt. Verdorie! We maken rechtsomkeer en de Indiër toont me een zijweggetje waar de maand augustus staat geschreven. Pech! Geen prijs voor mij. Voor ons plezier gaan we toch eens kijken of ik erin geslaagd zou zijn het eindpunt te bereiken. De weggetjes worden smaller en smaller en eindigen in een soort trialparcours. Zonder al te veel problemen bereik ik de finish. Indien ik iets beter had opgelet in augustus had ik dus wel mijn doel kunnen bereiken. Wanneer ik wakker word, besef ik dat deze droom iets te maken heeft met mijn professionele toekomst. Op 30 (!) augustus heb ik een afspraak met iemand die bezig is met drugpreventie. De rest is geschiedenis...

Naar de vrijheid

Ik heb me al overgegeven aan de kracht die mijn lot regeert.
Ik klamp me nergens aan vast en heb dus niets te verdedigen.
Ik heb geen gedachten en zal dus zien.
Ik ben nergens bang voor en zal me mezelf daarom herinneren.
Onthecht en op mijn gemak
schiet ik langs de adelaar naar de vrijheid.
Carlos Castañeda

Deze tekst hield me recht in de soms (zéér) moeilijke momenten tijdens vier dagen vasten in afzondering in de jungle.

Handleiding

Aan de hand van zes essentiële vragen (wat, hoeveel, wie, waarom, waar en wanneer) gebaseerd op het model van de 3 M'en (Middel, Mens, Milieu), proberen we adviezen voor verantwoord druggebruik te formuleren. We baseren ons daarbij op eigen ervaringen en wetenschappelijk onderzoek* bij ervaren gebruikers. Net als bij duiken, valschermspringen of elastiekspringen bieden deze regels géén absolute garantie, maar beperken ze wel de risico's. Op zich zijn deze regels niet ingewikkeld. Wat ze moeilijk maakt is de consequente toepassing ervan. De verleiding om je te laten gaan, gluurt immers om elke hoek. En wie durft er beweren dat hij zichzelf altijd onder controle heeft?

Deze regels gelden niet alleen voor illegale drugs. Probeer ze dus ook eens toe te passen op koffie, alcohol, sigaretten of op je tv-gebruik! Daarbij mogen we nooit uit het oog verliezen dat drugs gevaarlijk speelgoed zijn en dat er eigenlijk maar één regel bestaat:

**DE ENIGE 100% VEILIGE MANIER
OM MET DRUGS OM TE GAAN
IS ER AFBLIJVEN!**

---

* Prof. Tom Decorte, *Cannabis in Vlaanderen*, Acco, 2003 en *The taming of cocaine*, VUB Press, 2000.

Waarom?

- Maak vooraf je bedoeling duidelijk. Waarom wil je gebruiken? Om je lekker met vrienden te ontspannen, om verveling, negatieve gevoelens, problemen of conflicten te ontvluchten?
- Misschien vind je het wel moeilijk om neen te zeggen als vrienden je iets aanbieden. Probeer eerlijk te zijn voor jezelf. Als je gebruikt om je problemen aan te pakken, is de kans groot dat je er op den duur afhankelijk van wordt.
- In niet-westerse culturen worden drugs meestal in een rituele context gebruikt. Ook in onze cultuur is het gebruikelijk om te klinken en elkaar gezondheid toe te wensen vooraleer we een glas alcohol drinken. Waarom zou je voordat je bijvoorbeeld een trekje neemt van een joint, geen klein ritueel gebruiken (bijvoorbeeld je joint even in de lucht steken) om niet te vergeten waarom je eigenlijk smoort?

Wie?

- Ken jezelf! Dat is natuurlijk gemakkelijker gezegd dan gedaan. Als je bijvoorbeeld eerder onzeker bent, heb je veel meer kans afhankelijk te worden van drugs die je een zelfzeker gevoel geven.
- Als je emotioneel niet erg stabiel bent, is het beter geen drugs te gebruiken.
- Hoe jonger je bent, hoe kwetsbaarder, en hoe meer kans je hebt dat het vroeg of laat fout loopt.
- Mensen met hart- of vaatziekten, een verzwakte lever of nieren, suikerziekte of een geschiedenis van psychische problemen hebben er alle belang bij zich te onthouden.
- Kies de mensen met wie je gebruikt zorgvuldig uit. Beter met vrienden dan met onbekenden of helemaal alleen.

- Praat met elkaar over je ervaringen, zowel over de goede als over de slechte.

Wat?

- Weet wat je gebruikt! Met chemische drugs is dat natuurlijk bijna onmogelijk. Je kunt immers nooit zeker weten wat er bijvoorbeeld in een pil zit of hoe zuiver een poeder is. Het blijft altijd een beetje Russische roulette. Ook de sterkte van 'natuurlijke' drugs (bijvoorbeeld wiet, paddo's) kan sterk verschillen.
- Gebruik niet om het even wat en probeer op zijn minst de herkomst van je stuff te achterhalen.
- Combineer geen drugs! Waarom zou je ook? Alcohol en cannabis bijvoorbeeld werken elkaar tegen. Vooral combinaties met geneesmiddelen en alcohol kunnen tot onaangename effecten leiden.
- Als je partydrugs neemt op een feestje, drink dan zeker voldoende water tussendoor en ga regelmatig uitrusten. Zo voorkom je dat je oververhit raakt en de avond op de spoedafdeling doorbrengt.

Hoeveel?

- Wil je experimenteren met drugs? Bepaal dan vooraf je grens. Voor je het goed en wel beseft, gebruik je meer dan je eigenlijk van plan was.
- Kies steeds een voorzichtige dosis. Neem bijvoorbeeld eerst een half pilletje en wacht een half uurtje om te werking te voelen. Hoe meer, hoe gevaarlijker. Dat is duidelijk. Maar ook één foute dosis kan je al serieus in de problemen brengen. Bij illegale drugs weet je immers nooit wat je binnen krijgt.
- Als je met een grote regelmaat drugs gebruikt, zal de kans op afhankelijkheid ('verslaving') ongetwijfeld toenemen.

Waar?

- Een ideale plaats om drugs te gebruiken is een rustige, vertrouwde omgeving. In de natuur of thuis. In onze cultuur hebben we speciale gelegenheden waar mensen bijeenkomen om legale drugs te gebruiken: cafés.
- Er is een tijd om plezier te maken en een tijd om te werken. Wie beide probeert te combineren, komt vroeg of laat in de problemen. Wie géén drugs op school of op het werk gebruikt, zal minder snel geconfronteerd worden met de negatieve gevolgen van gebruik.
- Aangezien alle drugs je bewustzijn beïnvloeden, kunnen drugs in het verkeer écht niet. Misschien rijd je stoned wel een stuk rustiger dan wanneer je onder invloed bent van alcohol, toch reageer je een pak trager dan wanneer je nuchter bent. Met alle gevolgen van dien. Het zal je maar overkomen dat er net dan iemand tegen jou aanrijdt. Omdat je onder invloed bent van drugs, riskeer je grote financiële en juridische problemen. Bovendien wil je toch niet voortleven met de gedachte dat je het ongeluk zonder drugs had kunnen vermijden.

Wanneer?

- Gebruik alleen als je je fysiek en psychisch goed voelt, nooit als je zwanger bent of als je borstvoeding geeft.
- Kies het juiste moment om te gebruiken. Het is een groot verschil of je op een avond of in het weekend gebruikt, dan wel of je 's ochtends voor school of tijdens een pauze op het werk gebruikt. Dit geldt uiteraard niet alleen voor illegale drugs, maar evenzeer voor alcohol.
- Het is niet omdat er drugs rondgaan dat je móét gebruiken. Gebruik alleen als jij er echt zin in hebt. Niet omdat er iemand voor jou bijvoorbeeld de zoveelste pint heeft besteld.

- Als je niet kunt weerstaan wanneer er bepaalde drugs in de buurt zijn, dan wordt het tijd om ermee te stoppen. Het is belangrijk dat jij de baas blijft over je gebruik, anders kom je op een gevaarlijke roetsjbaan terecht.
- Maak er geen gewoonte van. Als je elke dag gebruikt, dan groeit de kans om afhankelijk te geraken. Indien je bijvoorbeeld elke avond een slaapmutsje drinkt of een joint smoort om je te ontspannen, dan zou je misschien kunnen uitkijken naar een andere manier om je te ontspannen (bijvoorbeeld sporten of ontspanningsoefeningen). Beter nog is de oorzaak van de spanningen te zoeken en die aan te pakken.
- Om te weten te komen of je nu al dan niet afhankelijk bent van een of andere drug, volstaat deze eenvoudige drugtest. Als je elke dag gebruikt, stop dan een paar dagen volledig en ga na hoe je je voelt. Hetzelfde geldt voor mensen die elk weekend gebruiken. Ga eens een paar weekends uit zonder en zie of je je nog kunt amuseren.
- Laat drugs je leven niet bepalen. Hoe meer tijd en geld je voor je gebruik moet uittrekken, hoe gevaarlijker het wordt.

Tot slot. Niet vergeten:

**DE ENIGE 100% VEILIGE MANIER
OM MET DRUGS OM TE GAAN
IS ER AFBLIJVEN!**

Informatie

- **Websites**
  - o www.druglijn.be
    - Dé Vlaamse website voor alle juiste informatie over legale en illegale drugs.
  - o 078/15.10.20
    - Nummer van de Druglijn. Je kunt anoniem bellen met al je vragen over drugs.
  - o www.vad.be
    - Site van de Vereniging voor Alcohol- en andere Drugproblemen (VAD). Koepelorganisatie van de Vlaamse drugpreventie- en drughulpverleningssector.
  - o www.partywise.be
    - Site van de VAD die zich op fuifnummers richt.
  - o www.vig.be
    - Vlaams Instituut voor Gezondheidspromotie. Actief rond tabakspreventie.
  - o www.desleutel.be
    - Gespecialiseerd in drughulpverlening.
  - o www.jellinek.nl en www.trimbos.nl
    - Interessante Nederlandse websites over drugs, preventie en hulpverlening
  - o www.takiwasi.com
    - Afkickcentrum in Tarapoto, Peru. Biedt ook seminaries rond persoonlijke groei aan.
  - o Uiteraard bestaan er nog massa's sites waar je allerlei informatie over drugs kunt vinden. Kijk wel goed uit, want de informatie is soms verre van objectief en niet altijd correct.

- **Boeken**

  - o Aertsen, Peter en Nysmans, Eric, *Drugpreventie in helikopterperspectief*, Provincie Antwerpen, 2000.
  - o Alberts, Andreas en Mullen, Peter, *Psychoactieve planten, paddestoelen en dieren*, Tirion, 2001.
  - o Benneth, Chris en Osburn Lynn & Judy, *Marijuana in magic & religion*, Acces Unlimited, 1995.
  - o Bokar, Rinpochee, *Meditatie voor beginners*, Elmar, 1998.
  - o Bron, Marjolein en Rensink, Hettie, *Onder invloed*, Educatieve partners Nederland, 1997.
  - o Carr-Gomm, Philip, *De magie van Heksen en Druïden*, Deltas, 2003.
  - o Castañeda, Carlos, *Het wiel van de tijd*, Servire, 1999. (Bloemlezing van alle boeken die hij geschreven heeft.)
  - o Coelho, Paulo, *El Alquimista*, Grijalbo, 1997. (Vertaald in het Nederlands als 'De Alchimist').
  - o Decorte, Tom, *The taming of cocaine*, VUB Press, 2000.
  - o Decorte, Tom, *Cannabis in Vlaanderen*, Acco, 2003.
  - o De Ridder, Helga, *Jongeren, ouders en drugs*, Garant, 2001.
  - o Dom, Geert, *Drug-skenner*, Epo, 2000.
  - o Dom, Geert, *Dubbeldiagnose*, Epo, 1999.
  - o Dunselman, Ron, *In plaats van ik*, Vrij Geestesleven, 1995.
  - o Foster, Steven en Little, Meredith, *Vision Quest*, Ankh-Hermes, 1991.
  - o Gaskin, Stephen, *Cannabis spirituality*, High Times Books, 1996.
  - o Giove, Rosa, *La liana de los muertos*, Takiwasi, 2002.
  - o Goodyer, Paula, *Jongeren en drugs*, Deltas, 2001.
  - o Hellinga, Gerben en Plomp, Hans, *Uit je bol*, Prometheus, 2000.
  - o Herer, Jack, *The emperor wears no clothes*, Acces Unlimited, 1995.

- Huxley, Aldous, *Hemel en hel*, Contact, 1973.
- Kinable, Hilde, *Bevraging van Vlaamse leerlingen in het kader van een drugbeleid op school*, VAD, 2001.
- Krishnamurti, Jiddu, *Laat het verleden los*, Mirananda, 1992.
- Mc Kenna, Terence, *Food of the Gods*, New York, Bantam 1992.
- Michiels, Karel, *Het grote weedgenietboek*, Houtekiet, 2003.
- Narby, Jeremy, *Le serpent cosmique*, Terra Magna, 1995.
- Pan, *Psychedelische perspectieven*, Bres, 2001.
- Plomp, Hans, *De sjamaan spreekt*, Spirituele verhalen, Prometheus, 1996.
- Provincie Antwerpen, *Jongeren en druggebruik, een leidraad voor ouders,* Provincie Antwerpen, 2002.
- Roberts, Jane, *Seth spreekt*, Ankh-Hermes, 1979.
- Rosseels, Carla, *Natuurrituelen*, Houtekiet, 2004.
- Tolle, Ekhart, *De kracht van het nu*, Ankh-Hermes, 2001.
- Vander Laenen, Freya, *Drugbeleid op school: de leerlingen aan het woord,* IRCP Ugent, 2003.
- Van Gelder, Ton en De Vos, Fiona, *De lachende Boeddha*, Schors, 2000.
- Vereniging voor Alcohol- en Andere Drugproblemen (VAD), *Drugs etc.*, VAD, 2004.
- Visser, Ari, *Het vangen van de draak*, De Bezige Bij, 1983.
- Wangyal, Tenzin Rinpochee, *De werkelijkheid van slapen en dromen*, Elmar, 1999.
- Willekens, Axel, *Ecodrugs*, Dedalus, 1996.

- **Films**
  - o *28 Days* (Betty Thomas, 1999)
    - ■ Sandra Bullock, fuifnummer eerste klas, raakt verslaafd aan alcohol en pillen. Afkicken in een centrum valt haar zwaar.
  - o *Alice in Wonderland* (Clyde Geronimi, 1951)
    - ■ Tekenfilmklassieker over een wonderlijke droomtrip met onder andere een rups aan een waterpijp.
  - o *Altered States* (Ken Russell, 1980)
    - ■ Bewustzijnsverruimende film met Ken Russell en William Hurt.
  - o *Bangkok Hilton* (Ken Cameron, 1989)
    - ■ Nicole Kidman belandt in de gevangenis omdat ze met een koffer vol drugs gepakt wordt in de luchthaven.
  - o *Blow* (Ted Demme, 2001)
    - ■ Met Johny Depp. Verhaal van een Amerikaanse cokedealer die zaken doet met de Colombiaanse drugkartels.
  - o *Christiane F.* (Uli Edel, 1981)
    - ■ Naar het boek *Wir Kinder von Bahnhof Zoo*. Waar gebeurd verhaal op basis van een dagboek van een 13-jarig meisje dat ten onder gaat aan heroïne in het Berlijn van de jaren zeventig.
  - o *Dumbo* (Ben Sharpsteen, 1941)
    - ■ De vliegende olifant Dumbo en zijn vriendje de muis beleven een delirium tremens nadat ze te veel champagne gedronken hebben.
  - o *Fear and loathing in Las Vegas* (Terry Gilliam, 1998)
    - ■ Johnny Depp gaat zich te buiten aan allerlei drugs.
  - o *Fire, walk with me* (David Lynch, 1993)
    - ■ De film van de cultserie *Twin Peaks* waarin vreemde (droom)realiteiten in elkaar overvloeien.

- *Kids* (Larry Clark, 1995)
  - Een losbandige skater gaat zich te buiten aan seks en drugs. Met alle gevolgen van dien...
- *Midnight Express* (Alan Parker, 1978)
  - Overleven in een helse Turkse gevangenis nadat je met drugs bent opgepakt.
- *Naar de Klote*! (Ian Kerkhof, 1996)
  - Portret van de house- en XTC-scene in de jaren negentig.
- *Naked Lunch* (David Cronenberg, 1991)
  - Een schrijver met een insecticidenverslaving komt in een creepy realiteit terecht.
- *Pinokkio* (Disney, 1940)
  - Pinokkio leert dat wie spijbelt, sigaren rookt en bier drinkt, verandert in een ezel. Kwestie van op tijd met drugpreventie te beginnen...
- *Pulp Fiction* (Quentin Tarantino, 1994)
  - Cultfilm met John Travolta als huurmoordenaar op coke.
- *Requiem for a dream* (Darren Aronofsky, 2000)
  - Het leven van vier mensen die door hun verslaving aan amfetamines, heroïne en cocaïne ten onder gaan.
- *Return to Paradise* (Joseph Ruben, 1998)
  - Twee vrienden moeten beslissen of ze hun makker die opgepakt is voor drugbezit in Maleisië gaan helpen.
- *Rush* (Lili Fini Zannuck, 1991)
  - Undercover smerissen wagen zich te ver en te diep in het drugmilieu.
- *Spun* (Jonas Akerlund, 2002)
  - Een kijkje in het leven van speedfreaks. Met Mickey Rourke als 'the cook' in een druglab.

- *The Basketball diaries* (Scott Kalvert, 1995)
  - Leonardo DiCaprio worstelt letterlijk en figuurlijk met zijn heroïneverslaving.
- *The Beach* (Danny Boyle, 2000)
  - Nogmaals Leonardo, deze keer op zoek naar een mysterieus paradijselijk eiland (met wietplantage).
- *The Doors* (Oliver Stone, 1991)
  - Muziekfilm over Jim Morrison, zanger van de legendarische rockgroep The Doors, die alle grenzen van seks, drugs en rock-'n-roll verkent.
- *The Salton Sea* (D.J. Caruso, 2002)
  - Een man is uit op wraak na de moord op zijn vrouw. Speed is overal.
- *Thirteen* (Catherine Hardwicke, 2003)
  - Twee 13-jarige meisjes op zoek naar zichzelf experimenteren met seks, drugs, diefstal en relaties.
- *Trainspotting* (Danny Boyle, 1996)
  - Welkom in de harde wereld van de heroïneverslaafde.
- *Traffic* (Steven Soderbergh, 2000)
  - Michel Douglas leidt '*the war on drugs*'. Hij ziet ondertussen niet dat zijn dochter zelf verslaafd raakt.

Drugtaal

acid = zie LSD
afkicken = proces dat men moet doorlopen om opnieuw zonder drugs te kunnen leven
amfetamine = stimulerend middel, speed
angel dust = zie PCP
ayahuasca = sterk hallucinogeen, vooral gebruikt in rituele context
bad trip = flippen; het krijgen van onaangename gevoelens door druggebruik
bambino = een dosis speed om in te spuiten
(free)basen = inademen van dampen uit verhitte cocaïne
blowen = 'smoren', een cannabissigaret roken
bol = XTC-pil of -tablet
bollen = rollen, blowen
bommeke = speedpoeder dat in een sigarettenblaadje is gewikkeld en wordt ingeslikt
bruine, brown sugar = heroïne
C = cocaïne
cassé = stoned
chillen = tot rust komen in een koele ruimte in een dancing
chillum = een speciaal pijpje waarin cannabis wordt gerookt
chinese rocks = brokjes heroïne
chinezen = heroïne roken
codeïne = verdovende drug (zit ook in hoestsiroop en pijnstillers)
coffeeshop = café in Nederland waar cannabis mag worden verkocht aan meerderjarigen (maximaal vijf gram)

coke, coca = cocaïne
cold turkey = ontwenningsverschijnselen bij stoppen met heroïne
crack = 'gezuiverde' cocaïne die wordt ingeademd
crash = fysieke instorting na uitputting door het gebruik van opwekkende middelen
crystal = speed
designerdrugs = drugs die op maat gemaakt worden in illegale labs
doempen = wiet roken
dope = speed
ecodrugs = planten met (echte of vermeende) bewustzijnsveranderende, kalmerende of oppeppende effecten
efedrine = opwekkende drug (zit ook in neusdruppels)
entheogeen = synoniem voor bewustzijnsverruimende middelen, letterlijk 'die je de god in jezelf doen ontdekken'
factory = injectiespuit met attributen
flash = hevig lichamelijk genotgevoel vlak na het gebruik van heroïne
flashback = het LSD-effect dat na dagen of weken spontaan weer optreedt
flippen = hevige negatieve gevoelens (angst, paniek) door een te hoge dosis
fummen, fumeren = roken
GHB = Gamma Hydroxy Butyraat, liquid (vloeibare) XTC, gevaarlijke bewustzijnsveranderende drug
H, hero, horse = heroïne
high = ontspannen en opgewekte gevoelens, tot zelfs hallucinaties
ice, shabu = speed om te roken
joint, joinke, j'ke = zelfgerolde sigaret van hasj of wiet (meestal met tabak), om te delen

junk = heroïne, heroïneverslaafde
K, special K, super K, vitamine K = ketamine, sterke bewustzijnsveranderende drug
ketten = blowen, smoren
lijntje nemen = speed of coke snuiven
liquid XTC, vloeibare XTC = GHB, heeft niets met XTC te maken
lovedrug = XTC
LSD = LyserzuurDiethylamide, zeer sterke bewustzijnsveranderende drug
machinery = injectiespuit met attributen
marok (zwarte of bruine) = hasj
MDMA = 3,4 Methyleen-Dioxy-MethAmfetamine; chemische benaming van XTC (MDA en MDEA zijn varianten)
mescaline = bewustzijnsveranderende stof uit de peyotecactus
methadon = legale, vervangende drug voor heroïneverslaafden
meth-head = een afhankelijke speedgebruiker
meurrig = stoned
microdots = een klein tabletje LSD
morph, mud = morfine
nederwiet = marihuana die in Nederland is geteeld, doorgaans met een hoger THC-gehalte
opium = verdovend middel uit papaver, grondstof voor morfine
outfit = injectiespuit met attributen
paddo = bewustzijnsveranderende paddestoel
papertrip = stukje papier of karton (zegeltje) met LSD
PCP = phencyclidine, sterke chemische, bewustzijnsveranderende drug
pep = speed
pétard = joint
peyote = psychoactieve cactus

poppers = bewustzijnsveranderende vloeibare, chemische drug
psychonaut = letterlijk: ruimtevaarder van de geest, iemand die zeer bewust op bepaalde momenten bewustzijnsverruimende middelen gebruikt met de bedoeling zichzelf en de werkelijkheid te doorgronden
psylocibine = actieve stof in bewustzijnsveranderende paddestoel
rape drug = GHB
rappe = speed
roche = rohypnol, slaapverwekkende rape drug
rock = crack
scoren = aan drugs zien te komen
sextacy = combinatie van XTC met Viagra
shit = hasj
shitthee = thee waarin cannabis is verwerkt
shot(ten) = de injectie van drugs; bijvoorbeeld 'een shot heroïne'
smak = heroïne
smoren = blowen, joint roken
snow = cocaïne
sossa = cocaïne
spacecake = cake waarin cannabis is verwerkt
speedball = een mengeling van heroïne en cocaïne die wordt ingespoten
stardust = ketamine
stepping stone = theorie die stelt dat het gebruik van softdrugs automatisch tot het gebruik van harddrugs leidt; niemand kan echter aantonen dat deze theorie daadwerkelijk klopt
stickie = kleine joint om alleen op te roken
stone = cocaïne
stoned = zich loom en zwaar voelen door (te) veel te smoren
stuff = hasj

taf = wiet
taffen = blowen
THC = (Tetrahydrocannabinal) werkzaam bestanddeel van cannabis
toesmijten, toeplakken = joint afwerken
trip(ke) = LSD
trippen = onder invloed van LSD verkeren
tripmiddelen = een ander woord voor hallucinogene drugs
tuffen = blowen
weed, wiet = marihuana
witte, bolletje wit = cocaïne
XTC = ecstasy, oppeppende en bewustzijnsveranderende drug
zweepslag = cocaïne

Dankwoord

Eerst en vooral wil ik Jacques Mabit, Takiwasi en Madrecita Ayahuasca bedanken omdat ze aan de basis liggen van mijn werk rond drugpreventie.

Ik dank de verschillende preventie- en studiediensten voor hun inspiratie en commentaren op mijn presentaties voor scholen die de aanleiding vormden om dit boek schrijven: Marijs Geirnaert en Ilse Bernaert (VAD), Bernard Bruggeman (Provincie Antwerpen), Wim Vanspringel (Altox), Jan Gabriëls (Lier), Inge Demeulenaere (Mechelen), Isabel Dedecker (Boom), Eric Nysmans (CGG Turnhout), Bert Mostien (Provincie Oost-Vlaanderen), Mark Tack en Christophe Kino (CAT Gent), Ilse Lemahieu (Delta), Peer van der Creeft en Johan Vandewalle (De Sleutel), Joeri Vanbesauw (Breakline), Renaud Quoidbach (Modus Vivendi), professor Tom Decorte (UGent). Een speciale vermelding is er voor Peter Aertsen (CGG Mechelen) voor zijn kennis, interesse, steun en advies.

Verder bedank ik ook de aandachtige lezers van mijn eerste manuscript: Katleen (mi amor), Ben (schrijver), Anja (kunstenares), Wim (copywriter) en Peter, Johan en Ilse (experts in drugpreventie). En niet te vergeten alle vrienden en vriendinnen, fuifnummers, exen, gidsen en psychonauten die ongewild in dit boek optreden (in volgorde van verschijning): H.P., Dina, Bert, Leen, Abderahim, Max, Kristel, Herlinde, Pierre, Karel, Bob, Lynda, Gerard, Franky, Guillaume, Koen, Timon, Mikis, Alexis, Carmen, Leo, Noortje, Suzie, Tika, André, Lieva,

Eduardo, Jacques, Loïc, Salma, Carine, Antonio, Mr. Desert, Pipo, Manollo, David, Helmut en Lucio. Elke gelijkenis met bestaande personen of gebeurtenissen is louter toevallig.

Drugstories

*Jongeren die met (il)legale drugs experimenteren of ermee in contact komen, hebben dringend nood aan geloofwaardige informatie die niet eenzijdig pro (bijvoorbeeld jongeren) of contra (bijvoorbeeld ouders) drugs is (*Drugbeleid op school, *Universiteit Gent).*

Tijdens zijn 'wilde' studentenjaren experimenteerde Luc Rombaut zelf met verschillende drugs. Na zijn studies (Licentiaat Romaanse Filologie, Aggregraat H.S.O., Postgraduaat Bedrijfscommunicatie en Licentiaat Marketing) werkte hij verschillende jaren in de reclame- en mediawereld. Daarna trok hij een jaar de wereld rond en bestudeerde ook druggebruik in andere culturen. De laatste jaren werkte hij als communicatieverantwoordelijke voor verschillende ngo's en gaf hij les.

Dankzij de interactieve powerpoint-presentatie *Drugstories*, met film, muziek, foto's en verhalen over zijn eigen ervaringen, worden drugs beter bespreekbaar. *Drugstories* werd al voor meer dan duizend leerlingen uit verschillende scholen opgevoerd. Deze presentatie kan deel uitmaken van een drugpreventie-plan op school, of een eerste stap in die richting betekenen.

Uit (anonieme) enquêtes na de presentatie blijkt dat de meeste leerlingen en leerkrachten *Drugstories* positief evalueren. Vooral de persoonlijke verhalen en ervaring in combinatie met videofragmenten spreekt hen sterk aan. Leerlingen die niet gebruiken (en dit ook niet van plan waren), worden over het algemeen bevestigd in hun mening dat je beter van drugs afblijft. (Potentiële) gebruikers appreciëren dan weer de adviezen over verantwoord omgaan met drugs.

Luc Rombaut geeft niet alleen lezingen in scholen, maar ook aan oudervereniginingen, jeugdbewegingen, gemeentes, verenigingen... Dit unieke project kon enkel tot stand komen dankzij de waardevolle feedback van verschillende preventiediensten en centra voor geestelijke gezondheidszorg.

Meer info:
Luc Rombaut
drugstories@tiscali.be